U0149020

著者德配萬太夫人遺像

生於1899年農曆2月21日江蘇之淮陰

逝於1946年農曆2月6日淮陰水渡口老宅

享年四十八歲

范耕研著

藎硯齋叢書之十二

學

文史哲出版社印行

國家圖書館出版品預行編目資料

學林 / 范耕研著. -- 初版. -- 臺北市 ：文史哲, 民 90

面： 公分. --（藟硯齋叢書；12）

ISBN 957-549-390-7(精裝) ISBN 957-549-391-5(平裝)

1.論叢與雜著

075.8 90016937

藟硯齋叢書 ⑫

學 林

著 者：范 耕 研
出 版 者：文 史 哲 出 版 社
登記證字號：行政院新聞局版臺業字五三三七號
發 行 人：彭 正 雄
發 行 所：文 史 哲 出 版 社
印 刷 者：文 史 哲 出 版 社
臺北市羅斯福路一段七十二巷四號
郵政劃撥帳號：一六一八〇一七五
電話 886-2-23511028・傳真 886-2-23965656

中 華 民 國 九 十 年 十 月 初 版

ISBN 957-549-390-7（精裝）
ISBN 957-549-391-5（平裝）

420.-

輯印說明

一、此輯《學林》，係錄自老家江蘇省淮陰縣（現已改為淮安市清浦區）蘇北日報之學林週刊。約自民國二十三年（一九三四）十月至二十六年九月，計共一二三期，受戰爭影響停刊。故有三篇（淮陰藝文考略、淮陰雜詠及零硯齋讀書記）待續。目次之排列，係以有關淮陰之人與事為先，其他為次。

二、由先父耕研公保存之報紙裝訂成冊，經兵禍幸未遺佚，亦係於返鄉探親時帶來台灣，其中以張煦侯先生及先父之文為多。此輯僅集先父所寫三十一篇，另附煦侯先生賀先父四十壽辰序及二十餘年後痛悼先父詩各一，以為追思紀念。

三、其中已由淮陰同鄉會編印之《淮陰文獻》第三輯轉載之有關清河縣志之四篇仍照刊，而〈江都焦里堂先生年表序〉及〈讀焦里堂先生纂孟日記〉兩篇，因已以《江都焦里堂先生年表》為本叢書之七於民國八十一年刊出，故未再列。

四、此為先父彙集，留待整理，原無刊刻之意，為免散失，仍違父意，併入藷硯齋叢書。惜其時手民水準不高，於〈天問釋韻〉篇中，竟漏列二十句（只能於第二三四、二三六頁中說明耳）。

五、學林週刊之最後一期雖為第一二三期，但其中缺第一一三期，又第一〇〇期大概為慶祝百期紀念，將已刊之九十九期按前後排列為〈學林總目錄〉，實際係一二一期。凡先父所寫者自以紅色筆標出。謄寫之初僅知先父筆名者抄錄，年前始忽發現尚有〈宋文丞相傳〉（六十一期）及〈十六錢硯齋詩文集〉（八十三～八十七期）兩篇亦被先父標出，但該二文著者乃「宋龔開撰」及「萬松巢先生遺著」字樣，遂未注意。急急再讀一過，原來前者於傳後有先父之〈跋〉，始又煩請沈賢愷教授校訂補入。但後者由「記者識」之描述中似非先父所寫，故未列。

六、先父於此三十餘篇中多用筆名，遂照每篇所用之名列印。並於題目下之括弧內以阿拉伯字注明所刊期別。

七、文內常出現之人名，特加注記：

稺露：先三叔耒研公，字希曾，自號稺露，著有《書目答問補正》等，用功之勤更勝先父。

須公、秋懷室主：張煦侯先生，世居淮陰縣王營鎮，著有《淮陰風土記》等，著作甚豐，與先父交厚。

徐丈、徐庶侯、徐瀫鷗：淮陰之鄉先賢，後寓居揚州，藏有鄉藝文頗多。

貞敏兄：震陋寡，生也晚，不之知。特請鄉賢有瞭解者，請賜示，至盼！蓋亦為熱愛鄉土藝文者也。

八、本輯仍以高明教授之總序為序，原曾請陳神父賜序，未得。特節錄與其往來信函及偶有之案語於後記中以饗讀者，庶得窺其卓見。

九、原週刊只為先父之題字，其時製版技術粗劣，業已失真，但仍用原版為封頁，以為紀念。

十、如前各輯，刊印先父、母遺影，以為紀念。

高序

柳師劬堂嘗盛稱淮陰三范，以績學聞於南雍。伯尉曾，字耕研，號冠東，治周秦諸子；仲紹曾，攻物理、化學；叔希曾，字耒研，初為歸、方古文，繼為目錄、版本之學，皆有聲於時。先兄孟起與三范同時就讀於南京高等師範，與耕研之私交尤篤，常為余言之。民國十四年，余入南雍，每訪龍蟠里國學圖書館，猶及見耒研，繼讀其書目答問補正，更深儀其人。顧余卒業於南雍時，耒研業棄世。遭時喪亂，先兄故於行都之歌樂山，與范氏之音訊遂絕。一月前，鹽城司教授琦兄來訪，述及其鄉賢范君耕研之長公子名震者在臺，今春曾返鄉探親，攜出其父叔遺稿之倖存者如墨辯疏證、呂氏春秋補注、莊子詁義（未刊稿）、書目答問補正，及其父之詩詞殘存於日記中者將輯集之，並刊為范氏遺書，而屬其問序於余。余知耕研所著尚有文字略十卷、淮陰藝文考略八卷、韓非子札記二卷、張右史詩評二卷、宋史陸秀夫傳注一卷，均於所謂「文化大革命」時燬佚於紅衛兵之手；其子恐其父叔之心血所注，若再亡佚，將何以對先人於泉下，乃有遺書之刊印。其孝思之誠篤，在今日不可多見，實足以風世而正俗矣，因樂而為之序。

中華民國七十八年三月　高郵高　明謹撰於木柵之雙桂園。

學林目次

枚都尉著作考（8、9）

根巖

淮陰人著作，說者以韓侯兵書三篇，載在漢書藝文，推為最古。然其書既為諸呂所盜取，寖以失傳。至登壇之對，雖多文采，實則史家潤飾，未必王孫之善筆。舊志雖託始於此，聊為敝邑增色，非其至也。其真為一代文宗，炳耀千古，而不可磨滅者，自應屬諸都尉枚叔。遺膏剩馥，沾溉後世，不亦盛歟！

枚乘，字叔，淮陰人，為吳王濞郎中。吳王之初為怨望謀為逆也，乘奏書諫；而吳王不用乘策，卒見禽滅，漢既平七國，乘由是知名，景帝召拜乘為弘農都尉。乘久為大國上賓，與英俊並游，得其所好，不樂郡吏，以病去官，後遊梁。梁客皆善詞賦，乘尤高。孝王薨，乘歸淮陰。武帝自為太子，聞乘名，及即位，乘年老，乃以安車蒲輪徵乘，道死。（節錄漢書本傳）都尉之行誼，大略如此。其見幾忠諫，高尚不仕，皆有足稱，固不僅文章卓犖而已；即以文論，亦巍為千古詩賦之宗，茲分考之，以為鄉人談掌故者之一助。

丁儉卿柘塘脞錄云：「漢志，稱枚乘賦九篇隨志，梁時有二卷，亡。文獻通考有枚叔集一卷，陳振孫書錄解題謂自漢書文選諸書抄出者。明陳第世善堂書目，有枚叔集一卷。張幼白儀部嘗合刻都尉詩賦及七發，上吳王書，為一集，今俱不傳。」顧實漢書藝文志講疏云：「枚乘賦九篇殘。文選枚乘七發一篇，西京雜記柳賦一篇，古文苑載其梁王菟園賦一篇。（藝文類聚六十五同）又有臨灞池遠訣賦，亡，見文選王粲七哀詩注引。」按嚴可均全漢文所錄枚賦與顧說同，顧殆本於嚴耶？惟遠訣賦，嚴謂見文選謝眺詩注，顧與之異，殆兩見耳。嚴氏別錄諫吳王書二首，以其非賦，故顧氏不數之。丁儉卿別考得月賦一篇，見初學記天部引，足補嚴顧二家之闕。丁氏之言曰：「丁亥夏，抄集雜詩九首，菟園賦、柳賦、初學記天部引月賦及七發、諫吳王書、重諫吳王書，彙為枚叔集一卷，又文選注引笙賦、臨灞池遠訣賦，今賦已佚，亦存其目於卷首。斷圭碎璧，收拾而不敢遺，藏之篋衍，以待有力者刊行之。」今冒氏所刊楚州叢書，即用丁本，都尉遺文，以此為備矣。

漢家尚賦，賦家實繁，而都尉為其眉目。遺賦殘闕，（菟園賦、柳賦皆似有刪節，恐非全文。）不知其與鵩鳥上林如何？至於七發一篇，實始創為七體，其結構有似孟子對齊宣，而輝煌燁麗過之，又有似於楚詞之招魂大招，此都尉所以屬於屈原一派也。後世效為七體者甚多，皆不及乘原作遠甚，而乘遠矣。

都尉所作前舉諸賦之外，尚有古詩九首，載在玉臺新詠之第一卷，明題枚乘，文選則去蘭若生春陽，又合「行行重行行，相去日已遠。」為一首，與其他十二首，共十九首並稱古詩。不言乘作，其次第亦不同，列表於下：

玉臺新詠	文選	
西北有樓高	一	五
東城高且長	二	十二
行行重行行	三	與次首合為第一首
相去日已遠	四	與前首合
涉江採芙蓉	五	六
青青河畔草	六	二
蘭若生春陽	七	無
迢迢牽牛星	八	十
明月何皎皎	九	十九

文選既不標作者，歸之古詩，世人對此數首，遂疑其不為乘作，異議

自此起。李善注文選，亦持懷疑態度。其言曰：「五言，並云古詩，蓋不知作者，或云枚乘，疑不能明也。詩云『驅車上東門』，又云『遊戲宛與洛』，此則辭兼東都，非盡是乘，明矣。昭明以失其姓氏，故編在李陵之上。」按李說非是，其所舉兩句，一在十九首中之第三首，一為十九首中之第十三首，本不在乘所撰數首中，雖辭兼東都，亦何害其為西京人作哉？以此相疑，何殊後世鄰伍保任，牽連相坐之法，無乃周納耶？且乘晚遊菟園，去洛本近，而宛洛在西漢世，久為大都；若史記貨殖傳所載，亦將謂其辭兼東都耶？乘生文景之世，武帝初即卒，自應編在陵前，豈以失其姓氏之故哉？

且李氏所以致疑者，不過以文選未載乘名，不知此未足據。朱竹垞嘗辨之曰：「十九首中，沒枚乘姓名，題曰古詩，要之皆文選樓中諸學士之手也。徐陵少仕於梁，為昭明諸臣後進，不敢明言其非，乃別著一書，列枚乘姓名，還之作者，殆有微意焉。」竹垞以玉臺新詠為有意糾正文選，雖揣測之詞，未有確證，然亦必相承有是說，徐氏本之耳，當非鑿空妄說之比。特文選之學，至唐而盛，文士奉為鴻寶，莫之敢非，玉臺視之，遠莫能及。徐氏之時代與地位，自較昭明為遜，其所言者，遂不為世重，文選之說，乃成丹青。枚乘創作，雖倖存，而主名不屬，不亦怪歟！不知文選一書，雖託名昭明，實不外諸學士之手。徐氏較之，何遽不若，且昭明卒於中大通三年（西五三一），徐陵卒於至德元年（西五八三），年七十七；是生於正始四年（西五〇五），正與昭明同時，特以老壽，死於陳代，疑與昭明有先後隔世之感耳。並世之人，其所言者，有何軒輊，安見昭明之足信，而徐陵之不足信耶？文劉氏文心雕龍明詩篇云：「古詩佳麗，或稱枚叔。」劉亦梁時人，則枚叔之作古詩，當時必共知之，決非徐陵一人之私說也。（按十九首中尚有孤竹一篇，文心雕龍指為傅毅之詞。

是古詩相傳多有主名，而文選一概刊削，未免近於滅裂，苟無所本，徐、劉豈皆妄作耶？）

此類懷疑學說，既持存而不論之態度，於疏嬾之人最便，以其委為不可知，省考訂之煩也。近來新奇之說，日益滋蔓：「堯禹非人、而墨翟異籍、離騷天問奪自屈原。」稱心立說，莫可究詰，則枚乘區區古詩八首，奪實予虛，亦何足怪？嘗覽近人駁難玉臺新詠之說，其理由不外下列數端：

㈠昭明不知作者姓名，徐陵何能知之？必為附會，不足信。

㈡李善注文選，謂其辭兼東都，非盡是乘。

㈢史記漢書枚乘本傳，未言其為此類詩歌。

㈣漢書藝文志歌詩類未載乘所作詩。

㈤依文學演進之跡揆之，枚乘時代，不應有此五言完美之詩。

懷疑派所持論調如此。不知漢人重賦，其餘文字，概不齒及。各傳中多舉其賦若干首，詩多略而不言，如武帝立樂府，令司馬相如等造為詩，而相如傳僅錄其賦，不言其作詩；此其故可知，則乘傳之不載，何所疑難？漢書藝文志詩賦略詩歌類，凡二十八家，三百一十四篇，皆樂府所掌，能被管弦者，乘之古詩，本不入樂，又不藏內府，何緣得載漢志？近人喜言進化，一切皆以此整齊之，不知人類歷史，本變動不居；雖大體所趨，有進無退，而參差洄洑，在所不免。如賦盛於漢，而其肇端，遠在屈原；詞盛於宋，而李白已有憶秦娥之篇，遠而六朝，亦略見端倪。特作者寥寥，未成風氣，然不能謂其時所作盡偽託也。蓋五言之盛，自在曹魏，而西京之初，偶有作者，未為不可（一、二兩條已見前駁，不復述。）。舊說相傳，誠有不可盡信者，然疑義雖然多，多難成立，則舊說仍未可非也。世之致疑於枚乘古詩者，亦可以止矣（丁仲祜輯全漢詩，亦從玉臺新詠，以此數首為枚乘作，附有辨正，為吾張目，案無此書，未能徵引，惜哉！）。

兩漢之時，辭賦方張，然論者謂屈原孫卿，詞意可觀，不失詩人矩矱。及宋玉之徒，已多淫放，後之作者，塗澤愈甚，不率典言，惟務恢張，此蓋賦衰而詩興之徵也。下迨曹魏，作者如林，而導其先路者，則兩京之古詩也。枚乘之作，述志抒情，驚心動魄，一字千金，傳之千古，永為楷式；於文學史上之影響，至為閎大。枚叔長於騷賦，創為七體，固已偉矣。又造古詩，遂開風氣，誠兩京之巨手，千古之詞宗也。

柯山詩話（98、99、101～106）

隨伯子

吾鄉張文潛先生以文學著稱蘇門，列在四學士六君子，久已彪炳史冊矣。坡公以海涵之量，卓然大家，詩文筆跡盛為後世矜式。涪翁創調，別開塗術，江西一派，儼然奪師門之席。即少游倚聲，亦播在人口，歷世不絕。而文潛聲華雖在，已遜諸公，遺集雖存，至讀者不能舉其詞。信乎，詩文之傳及其顯不顯，固有幸有不幸耶！余不知詩文，而喜讀之。閒嘗讀柯山詩，嘆其美富；較之蘇黃，未遑多讓；而其精思微意，往往而在。輒不自量，加墨其上，冀稍稍發明其義，其事實有關考訂者，亦一二舉正之，不能備也。輯之凡得若干條，錄成一秩，名之曰柯山詩話。雖未足顯先賢於萬一，然或可為讀斯集者進一解也。頃讀本林羲皇君柯山志林，中亦有詩話，皆輯自宋人諸書，元、明人說一皆屏棄。余茲所撰，則異於是，凡有所說，率憑胸臆，非羲皇著述謹嚴者比也，讀者諒之。二十五年冬十二月中旬初雪之夕，寫於揚州之賃廡。

余所讀柯山集，為粵局翻聚珍叢書本。正集五十卷，自永樂大典輯出。附拾遺十二卷，則多錄自宛丘集及宛丘文粹；又有數首錄自歲時雜詠，瀛奎律髓者名續拾遺不足列卷，都凡六十二卷。宛丘集既不易得，且已錄入拾遺中，則今世通行者，當以此集為富矣，雖然未為備也。直方詩話、竹坡詩話俱引文潛「輸麥行」，場頭雨乾場地白云云，今集中無有也。皇朝文鑒（今稱宋文鑒）卷二十三錄文潛五律一首「晨興」端居歲已宴云云，今集中無有也。能改齋漫錄引文潛絕句云：「亭亭畫舸繫春潭，只待離人酒半酣。不管煙波與風雨，載將離恨過江南。」王平甫喜誦此詩，此詩實佳，今檢集中亦無之。信乎，紫芝之言：「先生詩文最多當有網羅所未盡者。」家弟穉露嘗欲校定文潛詩文，以宛丘集為本，參以永樂大典之柯山集及他總集如聖宋文選、皇朝文鑒、宛丘文粹、宋詩抄等詩話，說部亦廣為搜摘；除其複重，校其同異，歸於至當，不亦善哉。英年凋喪，美志不遂，唏已！

粵刻柯山集，校刻不善，頗多譌脫，有大典原脫，此本仍之者。如東海有大松七古中，述仲車德望，有云：「豈惟文章繼騷雅，胸中術業窺夔龍。如何失所因與茲松同。」注云：「如何下脫五字」。按宛丘集作「如何坎軻滯茅屋」，無脫字。又如贈邠老七律，首句僅存下三字云：「極蒸噓」；第四句亦止存下三字云：「吏徵租」；宛丘集則作「衰疲坐甑極蒸噓」，「董生時有吏徵租」，皆無脫字。粵刻本既附拾遺，從宛丘集錄出遺文，何不再加校對，以訂譌補脫乎？是其疏也。又有大典不誤，而清廷諸臣輯錄時，意為變亂者；如于湖曲：「兵氣如霜已潛釋」，文藝引「兵」作「虜」；「鐵騎春來飲瀍洛」，文鑒引「鐵」作「胡」。清人諱胡、虜等字，大典原本必不誤，而集為清人妄改之，今有文鑒可以為證也。其他別書所引異文，多較此本為勝；如「牧牛兒」，「麥深蔽日野田平」，文鑒引作「麥深蔽目田野平」，「蔽目」勝「蔽日」、「田野」勝「野田」。孫彥古畫風雨山水詩：「輸爾朱家貴公子」，「朱家」不詞，文鑒引作「朱門」，勝。五古中有「早稻」詩，宛丘集作「旱稻」，是也。七古「福昌秋日」：「黃葉蕭蕭秋水清」，河南府志引作「黃葉蕭蕭新雨晴」，似勝。又「女兒祠下」：「山邊白雲閒不掃」；河南府志引「掃」作「拘」；此詩第七句亦有「掃」字，則作「拘」者是也。又有無他本可校，而的知其誤者；如七古「遊武昌」：「繪斫寒魚初出沼」，「繪」當是「膾」字之誤。又「福昌秋日」，「場邊九月夫黍熱」，「熱」字費解，應作「熟」。下與穀曲菊為韻，益知其應作「熟」也。樂府「寄夜曲」：「空窗自織不敢任」，任當作「住」。他類此者尚多有，不具舉。世有好事者，輯其遺佚，校其同異，庶幾柯山一集，得有完善之本，是則吾輩淮人所日夕企望者也。

百卷本之柯山集既佚不可見，今世所傳各本，卷數多寡至不一，半出後人摭拾殘剩所編，豈惟闕佚者夥，且編次淩雜任意；詩僅分體，其先後絕無理趣可考，論者謂編詩集以編年為善，今所傳名家詩多有繫年者。同時如蘇、黃諸公，皆已有善本。柯山詩最富，而無有為之董理者，早年晚景參差錯出，將何以考其學文之進退、遭遇之豐嗇乎？徒令讀者目眯、識者齒冷。蓋編者駭於其詩之繁富，遂怠於一一考訂耳。實則詩中時地每有可尋，加以題若注，顯言其事者亦多，不難為之次第。

夫文潛之詩，略可分為數期。少學山陽，繼從潁濱，初仕咸平，憂居困頓，再出福昌，骯髒憔悴，形之於詩，篇什為多，此可歸之於早年也。既而入官太學，再歷史館，迴翔京職，幾及十年；一時師友，更倡迭和，文潛志意，此為發皇，此可歸之於盛年也。政局既變，徒黨放逐，守潤守宣，再謫於黃，終得自便，返淮遷陳；此蓋困頓之餘，嗟嘆抑鬱之感，時時流露於詩，此可歸之於中年也。投老請祠，寄居宛丘，優遊載酒，以娛暮歲；當代諸公多前死，而文潛亦衰老矣，此可歸之於晚年也。此文潛蹤跡之大概，其詳在家弟所撰右史年譜中。以此讀其詩，年編而月繫之，固可十得五六矣。益以蘇、黃、陳、晁、潘（卻老亦著柯山集二卷）、翟諸公文集，比觀挹注，又可推知其二三，其餘一二無實事可指者，或類聚於卷末，或略別其心境，分諸四期；未嘗無術以安排之也。倘能如是，不亦讀柯山集者之一快哉！苟不此之圖，徒取聚珍叢書本而別刻之，較之粵局，容可差勝，然終不可謂為善本，不亦徒勞剞劂哉！

柯山集五十卷，自卷三至二十六為詩，凡二十四卷。又同文唱和詩四卷，則與他人作相雜廁，不僅文潛詩也，約得一千七百餘首。拾遺十二卷，自卷一至六為詩，又補拾遺數首，約得詩四百七十餘首，都凡二千一百餘首，可謂富矣。茲未暇一一箋評，擇其稍關考訂者，約略言之如次：

「樂府」：君家識易知曲。穉露評其神似太白，玩之信然。

「曲」：辨溫庭筠湖陰曲讀史斷句之誤。七古辨波棱乃自坡陵國來。此見文潛博物。

「江南曲」：宦海風波，不及漁人安穩；只此一意，而寫得酣足。每念離心寄朱轂，文鑒引念作遣。譴人未歸身自到，文鑒引到作逐。皆勝。

「勞歌」：以己畏熱，因念赤背負重之人，以力受金飽兒女也。文潛詩多有愍念民勞之意，不失風人之旨。

「少年行三首」：合寫少年立功疆埸，而見扼文吏，垂老憂讒畏譏，而故作豪放以自解。慷慨悲壯之意，讀之增喟。

「牧牛兒」：寫牛、寫人、寫景，均極工緻而自然。「兒怒掉鞭牛不觸」「犢兒跳梁沒草去」神態宛然。「隔林應母時一聲」以牛與犢引起老翁念兒。「日斜風雨濕簑衣」牧時之苦，翁所以念其兒也。「拍手唱歌尋伴歸」牧時之樂，兒所以告其翁也。皆真情真景，而無一不出之以自然。結到「珠璣燕起兒不知」，尤覺悠然有餘味。

「倚聲製曲三首」，序云：「予自童時即好作文字，每於他文，雖不能工，然猶能措詞。至於倚聲製曲，力欲為之，不能出一語。」宋人莫不工為詞，蘇、黃、秦尤善，而文潛獨不善詞。近人從諸書輯錄者，不滿十首。觀此序所言，則文潛本自以為不能也。至所撰詞，余前有文考之，載在本林，茲不複贅。

「遠別離」云：「酒酣日落客心驚，起與僕夫先議路。」確是遠行人情景。以下贈別之詞尤委宛。

「行路難」起句云：「人生動與衣食關，百年役役誰為閒。」前人詠行路難，多從別離與險巇著想。文潛此詩，獨指出百年役役由於衣食，其閔念人生之意，尤為深刻。此下全從此一意生出，故能迴出各家之上，而樹一新義也。

「孫彥古畫風雨山水詩」：寫畫中奇變，而念及山行者之苦；此題中應有之字，中有「昔苦山行親遇此」句。按文潛有七古一首，詠九月十二日入南山憩一民舍冒雨炙衣事，在本集卷十二。其時正在洛中，為福昌尉。此詩言親遇山行之苦，正謂此也。收句「一生兩足不下堂，輸爾朱門（本作朱家，茲從文鑒改。）貴公子」。本說行役之苦，忽轉出一意，不平之氣，隨處流露矣。

「周氏行」：純是麗情，自為文潛少作。寫兒女心思，既非關睢之貞正，亦非氓蚩之淫亂。與迂腐或淫豔之作，舉異其趣，宛曲真切，最在人情中。「郎身如墨妾如霜」一黑一白，相映為諧語。相傳虞山與河東君有髮膚之謔，與此正同。「百般辛苦心不惜，妾意私患鑒中色。」有盛年不再美人遲暮之感。「淮邊少年知妾名，妾意視爾鴻毛輕。」見女之情意亦非漫施者。「百里同船不同枕，妾夢郎時郎正寢。」「鴻飛水去兩不顧，千古萬古情悠悠。」一見鍾情，終成恨事；寫兒女心曲，深細真切，既非貞姬，亦異淫娃，正在人情中，所以為勝。

「晚歸寄无咎」：前首起四字清峭，五六弱；次首三四尤新，五六亦較弱。

「送呂際秀才南歸」：「文章出貧賤，此事古今同，但願子富貴，不願文日工。」文潛乃有此俗見，然正是牢騷語，轉覺真切。

「答仲車」：明白如話，意興悠然。東波謂仲車有三反，此詩首四句，正是此意。歸依禪子，聊安身心；雖是擺脫語，然亦是習氣。文潛於禪並不深也。

「冬懷」：「楊雄老不遇，寂寞玩文史，廁身虎狼間，乃卒脫其死。

中恬遺外慕，獨樂異眾喜。」高名而丁亂世，只宜如此。詩頗能道出子雲心事，世人責備太過，皆未得其平。第三首見文潛恬澹之懷。起云「年來百事懶，惟樂靜中趣。」年來與須公同客蕪城，俗事之暇，意行茗飲，頗得靜中之樂；讀文潛詩，先獲我心，為之失笑。

「雜詩」：「起來復何有，詩書散我前，偃臥一榻上，讀書疲復眠。」看似無奇，然讀書之樂，吾輩正宜如此。

「題焦山」：起四句有勢。「松杉數毛髮，人物見下上。」確是焦山景色。

「曉赴祕書省有感」：後半多排遣語，殆黨爭已露端倪耶？

「贈无咎以既見君子云胡不喜為韻八首」：此初遇无咎時作。第三首兼指二蘇，貓虎之喻新巧；第四首以韓比長公；第五第六兩首均詠山谷。蘇門中實推此公為一作手，張、晁皆傾倒之也。

「次韻淵明飲酒詩」：陶公原詩以酒興起，雜詠所感，不似文潛首首切酒說也。「飲酒不得醉，何如未飲時，顛倒眾譏笑，佳處正在茲。」此雖詠酒，然道德文章，亦宜寢饋忘倦，專嗜篤好，雖世俗笑侮，在所不顧，其樂處實非淺人所可知者。「對酒輒拜辭，好禮以求名。」寫禮俗之士，令人失笑。「我久喜文詞，思與鴻鵠飛，老來覺非是，念昔正可悲。」此見文潛飲酒，有託而逃，其謂昔日可悲者，反言之耳。「處樂非縱情」一首，任物之懷，灑然如見。具此胸襟，故於當時能不深陷黨禍也。「四海付醇酒，乃真知物情，亡秦餘毒烈，一洗百壺傾。」此類持論似高，實乖治道；酒人之言，固宜如此，勿謂文潛真懵懵也。「尚慮數見厭，動作旬月乖。」既有同好，尚慮見厭，人世乖迕，可為浩嘆！「弱歲慕世名」一首，此辨勉強。既好飲酒，又不肯不學佛，只好作此勉強語矣。「那知偶不死，持杯復飲茲。」此亦勉強解辨語。好飲者竟不復顧忌生死，然不如此，亦不足以見其為真好也。

「與潘仲達二首」：穉露云：「後一首詠淮陽牡丹，此二首疑在陳作。前首云：『念我淮上丘，三年不躬掃。』知文潛晚年雖家於陳，而先人丘墓則在楚州本貫也。」

「阿几」：文潛數子，無名几者，殆是小字耶？詩中論讀書，是諧笑語，是牢騷語。

「斑竹」：入世多塵埃，文鑿引入作人，勝。

「權勢」：按以孟、蔡之高才，猶不免為權勢所役，思之增慨。詩於此中分別高下，殆設為詭詞，非莊論也。又按中郎豈不念漢者，此詩特欲明其知己之感，勿以詞害意也。此詩偏激動盪，無限曲折，讀之令人感喟無窮。

「臨文」：「一病廢百嗜，好文心未忘。」二語見文人結習。「南窗納虛明，羅列（今本作烈，誤。）陳縑緗。」二語讀書佳境。「蹉跎生白髮，始紬石室藏，粗見漢家事，濡毫時否臧。」此殆指官史職時事，以漢家比宋廷也。或傳文潛著有兩漢決疑八十卷，坊間綱鑒易知錄及人名大詞典均載之，惟不見諸宋史，未知何據。此詩所云，粗見漢事濡毫否臧，亦或是指著此書而言耶？莫能決也，再考之。文潛又有老子注，見焦竑老子翼引；故此詩有云：頗師老氏術也。文潛學術塗徑，略具於此詩。

「寓陳雜詩十首」：此晚年寓陳作。寫久雨、寫閒居、寫師友，晚年心境，略可窺見。「落點若強箭，穿我老屋塗。」寫疾雨敗屋，甚肖。「傳聞北城隅」以下數句，念念不忘民生疾苦，直與老杜秋風破屋詩同共襟抱。「朝雨如棼絲」四句，久雨驟晴之狀，甚工麗。下寫水潦為災，又見怛惻之懷，不失三百篇遺旨。「唐有元相國」一首，此在坡公死後作，以元載制荊公，未免怨讟矣。「清夜何晏晏」一首閒居安適，悠然意遠。

缺月排西南句，全從坡公卜算子來，然西南不及疏相遠甚。「開門無客來」一首，門絕往來，而惓惓師友存歿，文潛豈真遺世無情之士哉！故人在旁郡句，穉露云：「无咎晚年守泗州，此所謂故人，正指晁也。」「疲馬齕枯草」一首，尤閒適有味。谷神不死，道教人習氣，文潛頗信之，未能免俗也。「我不知暑退」：此首亦從靜字上發揮。「湛然青已寬」，文鑒引已作以；「但無精力健」，文鑒引無作使；均勝。「秦子死南海」，文人身後淒涼，古今同慨，寫得特悲酸。

「冬日放言二十一首」：穉露云：「據第十二首，知此詩乃紹聖四年，文潛初謫黃州時作。與明道雜志及張宛丘帖所言初謫時事俱合，以有佳釀而職事閒也。」「兩人同墜車，醉者乃得全。」按文潛雖列在蘇門，而恬澹不喜奔競，故不甚為言者所忌；又本嗜酒，比之墜車得全，意最蘊籍。「淮陽名都會」以下兩首，皆居黃念陳也。「手植堂下花」謂雙棠也。為文潛在陳時所手植，見問雙棠賦序。「陶潛經世才」一首，文潛嗜酒，故以陶公託意，而詩云：「彼甯徒嗜酒，有蘊託諸醉。」則文潛諸飲酒詩，皆可作如是觀點。「秦人焚詩書」一首，殆為當時禁東坡文字而發耶？「淵明非無心」一首，自別於淵明，飾詞以晦其跡耳。

「任中微閱世亭」：起云：「志士抱奇策，常苦不得伸；及其利害出，倏已亡其人。」古今先覺之士，每同此慨。

「秋感二首」：「天時激汝曹，甯自知進退；吹噓成踴躍，芻狗忌徹祭。」刺時之意顯然，但不免淺露。

「悼逝」：宛曲深情，不減潘元。穉露云：「十載困微官，元祐前為福昌尉時也。徐節孝集附文潛初謫黃州一帖，有『新婦以次各無恙』語。是文潛喪婦再娶也。」

「呈徐仲車」：文潛丙辰丁艱居山陽，與仲車結鄰，此詩當是此時作。時文潛尚壯，而自謂衰暮，詩人習氣如此。說者謂歐公自稱醉翁，時年僅三十六，亦此類也。

「與友人論文因以詩投之」：此純然以文為詩，別是一格。穉露云：「此詩末云：『君為時俊髦，我老安苟且。』據此知文潛晚年作也。宋史本傳謂『二蘇及黃、晁輩相繼歿，惟耒獨存，士人就學者眾，分日載酒肴飲食之。』然則此詩豈其時應後生之問者乎？文潛以二蘇之言教後進，故云聊獻師所傳也。此詩及其與李推官書合觀，可見文潛論文要旨。」

「送胡考甫」：文潛此詩，蓋不忘邊事者。

「寄答參寥五首」：穉露云：「此詩佳極，脫口而出，不假雕飾，如話言然。」坡公以元豐二年四月到湖州任，八月即赴烏臺詩獄。此詩有「蘇公守吳興」句，知其作於是年也。是年文潛在洛，故詩有「我去日以西」、「我駒欲西秣」也。

「夏日雜感四首」：沈痛深婉。「君子不可怡」文鑒引怡作懷。「汲汲不敢遲」文鑒引遲作違。均勝。

「感秋呈宏父兼呈周楚望三首」：一、三兩首悲涼沈痛。「心因摧折紙」閱世既久，壯心銷盡，令人浩嘆。「獨攜古人書，千古相獻侑。」、「非求與俗違，聊以安吾守。」尚友古人，中自有守；知雖世情摧折，而節操自在也。穉露云：「漫浪為西遊，謂赴壽安尉也。此詩殆作於元豐元年。」「豈不厭奔走，貧賤無良謀。」奔走衣食者，讀之黯然。

七古「有感三首」：群兒鞭笞學官府云：碧溪詩話謂「此詩不可為標權知也。」按官吏肆虐，固為民害；然即令刑罰得中，亦是失德而為禮者耳。文潛頗究心老、莊，此詩正用其義。

「客過」、「謁客」、「迎客」三首：皆諧謔語，而多兀傲不平之氣，或是初謫黃時作。俗客見過，與勉強晉謁，其事不同，而同為苦事，然總是所遇者為俗人耳。倘是素心人，正宜共數晨夕，何苦之有？「客起疾走如避然」，見出謁之不得已。孤峭之士，所以與世相遺也。「人生聚散鴻集川，春風吹飛何後先。」收句，傲甚。

「小孤山」：起句云：「一峰枝水孤劍立，古廟開簾雙臉紅。」寫小孤最肖。

「蒙思守東魯復用李文舉韻」：陳說道術甚迂，語亦俗累。

「贈李德載二首」：次首穉露云：「蘇門文章盡此六句中。」

「東方」：寫農人辛苦，佳處在平淡自然。

「寒蛩」：此亦佳詩，情即在景中，所以為佳。

「晨起苦寒」：宛丘集題下有戲潘郎三字。「夜霜漫屋風折竹」宛丘集竹作木。「平生一衲度嚴寒」宛丘集寒作冬。

「贈翟公巽」：文潛晚歲居陳，公巽待之極厚。蓋公巽亦蘇公門下士，聲氣本相應求也。公巽潤州人，而文潛曾守潤，故詩中追寫金山之遊甚詳。收筆自占身分極高。

「讀中興頌碑」：精光四射，卷中佳作。中興頌，元結撰，顏真卿書。碑在永州北百里浯溪上，磨崖大書，奇偉古雅，世多模拓者。文潛踪跡似未至荊南，此殆就拓本題之。結時為尚書水部員外郎，兼荊南節度判官，碑文結銜如此，故詩以水部稱之。

「耒病臂比已平獨挽弓無力戲作此詩」：鬱勃頓挫，多少骯髒。文潛亦稱譙郡人，故以子桓事引起也。穉露云：「觀此詩及再和馬圖詩，文潛慷慨俊邁之概，躍然紙上，豈特文士已哉？」

「踵息齋」：全篇道家說，亦習氣也。

「大風與楊念三飲次作此」：以驢為收，未免村俗。

「東海有大松」：穉露云：「文潛此詩毫壯似太白。其推仲車者至矣。殆山陽結鄰時作。」

「讀蘇子瞻韓幹馬圖詩」：此詩有諷世語、有自負語，寄意深長。

「騏驥乏食肉常臞」今本乏訛作之。

「再和馬圖」：此文潛二十五歲作也。寫人與馬皆極為精彩，是文潛用意之作。結處極力騰挪，總是為馬生色。「想圖思畫忽有感」畫疑為馬之誤。

「寄子由先生」：首兩句稱子由，下皆自敘。末句有東歸之說，知是在洛作。

「再寄」：詩中無遷謫憂患意，雖稱殘年，卻非晚作。殆初出薄宦咸平時，故有無命作公卿之說，非晚歲口吻。首句宛丘之別今五年，謂初離陳學時也。則此詩應在上詩前，今題云「再寄」，次之於後，似誤。

「讀守道詩」：先稱其道德學術，然後落到詩，此固修辭之法，亦以守道本不以詩著，故專論其大者。乃取理行為譏評，謂過人之行，非過失也；然崇拜之中，亦寓有不滿之意，但畢竟褒多貶少耳。「嚴以清」、「寒崢嶸」皆寫守道嚴毅之狀。

「對雪呈仲車」：仲車晚年為楚州教授，一生窮困，老而不頽，此詩最足以見其為人。

「自南京之陳宿柘城」：荒城古廟，滿目淒涼，而胸懷鬱勃，借酒澆愁，用意自見。

「讀李憕碑」：集古錄跋尾，李憕碑大歷四年李紓撰，未言立何地。按新唐書，李憕汶水人，天寶初累官河東太守。安祿山反，繕城拒賊，城陷被害。頗殖產伊川占膏腴，自都至闕口，疇墅彌望。是憕家在東都，墓碑當亦在此。文潛官洛，故得搔首碑前也。今本柯山集李誤季，憕誤燈。

「和定州端明雪齋」：端明謂坡公，時以端明學士出守定州也。

「聽客話澶州事」：結四句，宋人虛憍之氣，然在其本朝，亦不得不爾也。

「和晁應之憫農」：「夜為盜賊朝受刑，甘心不悔知何數？」民生彫瘵，壯者走險，何暇計及萬全。季世愚氓確有是種心思，此大亂之原也，豈惟憫農而已。

「止酒贈郡守楊懷寶」：文潛謫監黃州酒稅時，郡守為楊懷寶，詩當作於此時。「茫然自惻還自笑，一身心口相仇敵。」克制苦行之人，讀此語當爽然也。

「八盜」：官洛時作。全首以文為詩，不免流於粗鄙，正是宋人面目，頓失風雅遺意，非詩正格；然此亦自工部開之，太白即不如是。此詩可見當時閭閻情偽，有心人所當留意，豈必杜陵諸詩，乃稱詩史哉？「傳聲市人恣誘脅，擾擾坐致幾千人。」匪徒裹脅，為向來釀亂之因。「我憐市人常聽貧，市人聽令喜且舞。」匪徒市惠技倆，而世人不悟，仍受其愚，至今未已，哀哉！「八盜連謀詔其五」，五人尚且見賣，況其餘千眾耶？而愚者仍信其甘言，何哉？「八夫獲二亡其六」，古今來大盜消搖，脅從付獄，已為定例。此猶能八獲其二，差強人意矣。

「蕭朝散惠，石本韓幹馬圖馬亡後足」：從馬肥說起，著眼在治亂盛衰，自是大章法。

「淮陰太甯山主崇岳逮與予諸父遊云云」：晚年返鄉作。不啻文潛自傳也。然垂老而憤怨之氣未消，詩中時一流露之。「西馳」下八句，寫秋景，而寄託自在其中。「惡木」下三句尤顯。

「北鄰賣餅兒云云」：此詩自以小民可閔為主旨。因題中有教子意，故用「志堅」作結。吾鄉吳比部嘗以此示其子溫叟先生，先生復和韻示其子，此詩遂為吾邑掌故嘉話矣。惟文潛此詩，不知在何年作，北鄰亦不知指何地之鄉。而溫叟先生和韻以為淮陰，當有所據。

五律「道旁花」：「中原何日掃，將爾付泥沙。」結語不忘中原，其慷慨何殊放翁，特此類壯語不多耳。

「遣悶」：「朝朝清洛水，坎坎只東馳。」文潛官洛，極不得意，集中居洛時詩，皆思東歸，從可知矣。

「歲暮書事」：自惜周人俗一首，詳陳俗尚，風人之旨也。

七律「出都有感」：老去速時畏後生。感慨係之。

「夏日雜興四首」：第一首平淡有意境，自是好詩。第三首「蝸殼已枯黏粉壁」，瀛奎律髓引殼誤為角。馮鈍吟謂其不妥，不知集中本作殼也。馮氏又譏第四首不見夏日，惟題既言雜興，固不必斤斤切夏日，馮說亦未盡當也。

「夏日三首」：第一首紀曉嵐云：「通首畫景，月字無著，細味三四，乃春暖詩，不見夏景。」按前人評詩，多注重精切，而於意境，卻往往忽略。如此首自是佳詩，而曉嵐乃肆其譏刺，過矣。方虛谷評文潛「和即事」詩全似庖人，亦可移評此首。

「遣興次韻和晁應之四首」：「老去詩書倦討論，一尊相對尚殷勤。」衰年人同有此感。

「臥病月餘呈子由二首」：強披莊子說逍遙。按子由有莊子注，列在道藏，文潛無之。惟焦竑莊子翼引一段，方以智藥、地砲莊引一段，餘未詳也。

「金陵懷古」：考文潛踪跡未嘗至金陵，惟其自謂二十年前遊秦隴吳楚，殆是隨父宦遊；此十年重到，未審在何時，是何因緣耳。

「戲贈張嘉甫」：首二句用巫支祈及僧伽塔事，皆在今盱眙，宋之臨淮也。

「仲夏」：「算商酤酒有底急?東帶坐曹真欲顛。」仁心傲骨。

「依韻和范三登淮亭」：「敢向波濤較善游」。方虛谷云：「遊字押得甚新。」按句意亦新，不僅游字新也。馮鈍吟云：「泅游不同不應混。」按唐、宋以後泅游多混用，馮說未盡是。

七絕食薺糝云：「論斤上國何曾飽，旅食江城日至前。常慕藐羹最清好，故應不糝媿吾原。」原注「原憲藜羹不糝」，按焦氏筆乘引第四句作「固應加糝媿吾緣」，有三字不同，其意亦異。今觀文潛原注，本用原憲事，弱侯引作緣者，記之不審也。

張文潛先生年譜跋（31、32）

耕研

右史張文潛先生年譜一卷，家弟耒研之遺稿也。耒研自以與先生同名，慨然欣慕。又以二蘇、秦、黃諸公譜表甚備，此獨不傳，發憤為之。主以本集，佐以宋史及諸家詩文、筆記、地志，稽考歲時，撰集此編，而後先生行事，燦然益明。至前人述作，偶有未照，如四庫全書提要以同文館秋試為禮部試，淮壖小記謂主管明道宮當在徙宣州後。弟考知先生兩主明道宮，一在京，一在亳州，既有是正，而弗為顯難。本集有赴亳州教官及入蜀事，按諸踪跡，莫能詳言，則姑闕不載，弗為強繫，皆其慎也。

先生生當有宋熙甯、紹聖間，卓爾蘇門中，列在四學士六君子，而所著獨多，多至百卷。元人撰輯總集，莫不甄錄，遺事珍聞，時時間見於記載，文章學術，所被至廣。明以來漸衰，遺集漸不易得，談者多稱秦黃，罕道先生，何哉？先生獨老壽，同輩皆前卒，無人為之章顯。又遭遇靖康，子孫死兵盜，遺著殘闕不理，聲光黯然，其以此耶！先生之行誼出處，日以黯昧，雖鄉里人士，亦難言之。弟之茲編，豈可緩哉！

弟以今世所傳柯山集，卷帙編第至不一，欲就盋山所藏宋元舊本，參校諸總集，若詩話，著錄同異多寡為定本，草稿未半，奄忽怛化，其先生之集不欲顯耶？抑弟之稟賦止於此耶？

弟之為人誠篤寡言，每有撰著，專壹不旁騖，戊辰正月家居寫定是編，朝誦夕披，無停晷，堆書盈几案，猶若不足，偶獻疑不決，不惜午夜走友人家，款關借書，繙閱既得，又疾走歸；余每視之，輒道先生事，纚纚不絕，此情此景如在目前。自弟之卒，忽已四年，遺稿藏篋中，每一開視，輒掩涕而止，終不願弟之心力，付諸湮沒，忍痛錄成。其有疑似，即檢原書，略為正之，他不復改易，恐失弟意也。嗚呼！手稿在是，弟則何往耶？哀哉哀哉！民國二十三年三月二十五日，同懷兄耕研跋。

余既寫定此編，將付剞劂，聞山陽邵君亦有所作。亟求讀之，集書繁夥，用力至勤。惜耒研不及見，不然，可毋作也。邵譜考訂右史中外姻婭頗詳盡，又據續通鑑長編，元祐五年十二月，右史兼集賢校理，足補宋史之脫佚，皆其佳勝處。然亦不無闕失，卲謂右史父非進士，然李深之墓志銘載之，則邵說誤也。邵以右史上孫端明書為自求薦，因獻數疑，然書實為弟求薦，豈郡據本脫家弟字耶？輿地紀勝右史罷宣守在紹聖二年十二月，邵繫於三年，邵謂右史晚年返淮陰在崇甯五年冬；耒研引贈大甯山主詩，謂在次年季春。邵謂翟公巽買公田事在政和三年，不知翟之守陳在二年秋，次年正月即赴中書任，見公巽埋銘，年月確然。耒研據山谷年譜，謂追贈在紹興二年，邵仍本宋史繫在建炎初。凡此諸事，耒研此譜，皆足訂邵誤，其他異同不遑具舉。惜耒研早逝，否則，校理之暇必更有進矣！頃比讀兩家之書，各有其優異處，既抱宿草之悲，亦幸耒研遺文有足傳者在也。二十四年夏七月，耕研又記。

張右史文集跋（108）

隨伯子

張右史文集六十卷，涵芬樓主人從其所藏舊鈔本影印，無序跋印記，不審其收藏源流所自。孫毓修書錄謂：「是集明刊本，祗三十卷，武英殿聚珍本名柯山集五十卷；惟汲古閣祕本書目所載張右史集，卷數與此同。」按盋山圖書館有丁藏舊鈔本張右史集亦六十卷；想均自汲古閣傳鈔而來，故卷數相同歟？然細審其所錄詩文，與柯山集正合；特一分六十卷，一分五十卷，分卷有多寡，而內容實無多寡。至編次先後則迥異，覽者不察，遂疑此本勝柯山集；孫毓修且以此自衒，誤已。

此本鈔手甚不佳，誤脫極多，不勝枚舉。如君家誠易知曲：翠屏碧簟生朝涼，脫「朝」字，「生」字又誤倒在下。于湖曲：王氣高懸五百秋，「懸」誤「遠」。襄陽曲：淚瑩雙眸為誰墮，「瑩」誤「映」。寄衣曲：秋風西來入庭樹，「庭樹」誤倒。此特開卷之四首詩，而錯誤累累如此，他可知矣。

然此本佳勝處亦不少，足以訂正柯山集之違失。柯山集乃清代館臣從永樂大典錄出，胡虜等違礙字眼，皆為清人竄改，絕無痕跡可尋。此本出自舊鈔，尚存其真，持讀比勘，乃發其覆。如怨曲：毳幕風霜久，此本作「毳幕腥羶久」。少年行：手拔干將斬狂豎，此本作「手拔干將斬狂虜」。又英雄天子伐匈奴：此本作「英雄天子北伐胡」。天馬歌：小羌男兒漫羈絏，此本作「小羌雜虜漫羈絏」。又塞沙颯颯邊風生，此本作「胡風颯颯邊風生」。迎客：道傍赫赫翁所見，此本作「道傍燁燁翁所見」。則又以清帝嫌名而諱改也。送畢公叔奉詔赴陝西：敢肆猖獗稱渠魁，此本作「禮樂舊俗遭財狼」。化外未可仁心懷，此本作「獸子未可甯心懷」。華夷之辨，斥責尤嚴，而清人之竄改亦愈甚。且「未可甯心懷」者，謂「心懷未敢安」也；改為「仁心懷」，豈謂不能以仁心懷柔之耶？去原意甚遠。可見當清時代館臣竄改之任意矣。

又有柯山集誤，而右史集不誤者。如寄參寥五首：使我早如此，「如」應作「知」。秩風展其翼，「秩」應作「秋」。夏日雜感四首：誕者夸勢權，「勢」應作「死」。春雪二首：東雨作飛雪，「東」應作「凍」。自廬山回過富池：意誠詞直無由通，「由」應作「不」。塞獵：十月北風燕山黃，「山」應作「草」。耒病臂：文章七步相後先，「步」應作「子」。弔連昌：唐日西半頹明滅，「半頹」應作「頹半」。他類此者，有百許處。又如八盜詩：八盜連謀詔其五，此本「詔」作「紹」。「紹」固誤字，「詔」亦不正，正應作「紿」。

右史集猶存其半，勝柯山集也。柯山集七絕四首，題云：「湘上成絕句，呈劉聲伯。」竟不知何時何地作。右史集則作「檢屍詠太湖上，成絕句，呈劉聲伯。」多四字，其事乃明。蓋文潛少時侍父吳江時作也。檢屍為法司職，而吳江正在太湖上，如此乃有著落。柯山集脫去四字，殆由傳寫者不明檢屍之所指，又惡其語之不雅，遂刪之耶？幸賴此本尚存其真，尤為此本可貴處。其他尚有自注之詞，為柯山集所脫，亦可用此本補苴，不下十許處，茲不一一舉。總之，此本與柯山集互有短長，左右採獲，頗能收是正之效，固未可遽廢也。

文潛在宋時，聲名籍甚，自屬大家。潘四農氏謂：「其詩勁於少游，婉於山谷，腴於後山，精於无咎。」歷代以來，推崇稱述者不止一人，然以為出山谷、少游之右者則無之。蓋均為成見所蒙，大名所壓耳。潘氏之言，可謂得其實矣。

余向藏有柯山集，廣東覆刻聚珍本也。丹黃數過，頗有所記。秋懷室主人則藏有右史集。余初以其有譌脫，未之重也。去冬以兩本細校一過，乃知此集勝處甚多，既錄入柯山集，並為此跋以張之，冀使讀者知此本可貴之點，自有所在，而不在其分卷與汲古藏本同也。

二十六年三月十七日記於揚州之北樓

讀湯右君辨物志（22～24）

段工

辨物志者，吾邑湯右君先生所撰也。右君先生生當明清鼎革之際，文采煒然，著述宏富。咸豐志所載有：周易繫辭後傳二卷、軒轅子七十七篇、茲亭詩集、茲亭文集各若干卷，均佚不傳，即辨物志一書亦在若存若亡間。惟王漁洋香祖筆記卷二，曾論及此書，其言曰：「湯調鼎，淮之清河人，順治初進士，著辨物志，議論多發人神志。偶筆其記人參二則於此：『隋高祖時上黨民宅後，聞人呼聲，求之，得人參一本，根五尺餘，具體人狀。占者謂晉王陰謀奪宗，故妖草生。余曰，非妖也。人參如人形者，食之得仙。根至五尺而具人狀，蓋歲久神靈之物。而上黨又人參之所出，惜時無張華其人，故其物不著；而以為陰謀奪宗之應，文帝以丞相僭帝位，何嘗不以陰謀得哉！』」又「玄覽人參千歲為小兒，枸杞千歲為犬子。」

按，參以人名，伏土歲久，而具體人狀，氣類神靈之感，無足怪者。枸杞字不從犬，何以歲久為犬？廣韻云：春名天精子，夏名枸杞，秋名卻老根，冬名地骨皮。是枸杞特四名之一。考山海經建木上有九欘、下有九枸。枸，根盤錯也。與犬義絕不相涉。使枸杞而為犬，天精子、卻老根、地骨皮，又何化乎？

辨物志既不顯，自漁洋稱述其書，乃為鄉人士所知，然多不獲見也。故阮吾山淮故，謂「寓清兩月，偏覓，無有知是書者。」吳山夫志遺，謂「右君著述皆散佚失傳，嘗於他書見所著辨物志二篇，頗益人神志。」所謂他書，蓋香祖筆記，山夫偶不憶耳。咸豐時修縣志，沿吳氏志遺，而誤會其語，於藝文中著錄辨物志二篇。不知漁洋明謂偶筆其二則，非謂全書止此也。知修志時僅據志遺，並香祖筆記亦未寓目，遂鑄此錯耳！

余來揚州，從徐丈處獲讀辨物志原書，裒然十二鉅冊。指事類情，網羅萬有，發人神志處，固不僅人參枸杞而已。余嘗發願為吾邑文獻作志，冀免談者興無徵之嘆，殘編蠹簡，方且搜討不遑，一旦獲覩佚書，為阮、吳諸公所不及見，其喜歡讚嘆，為何如哉！用是提要鉤玄，存其梗概，庶世之讀者，勿復致疑於漁洋之溢美也已。

辨物志凡六卷，分天、地、人、物、事、文六類。天類卷之一，凡一百有四條。地類卷之二，凡一百有九條。人類卷之三，凡一百一十四條。物類卷之四，凡一百四十條。事類卷之五，凡一百一十二條。文類卷之六，凡一百一十七條。大凡六百九十餘條。在子家筆記類中，亦可謂煌煌之鉅製矣。

其撰述要旨，具見湯氏自序中，序略云：「鼎生也晚，幼習制科，耽耽一第，學古未遑，迨通名上都，蓋傷鄙陋，始稍取先大人遺書伏讀之。初猶貧兒入武庫，本非習見，舉一物以名之，則舌橋不下。又數年，斷晝句讀，口誦終篇，至作者之本末精粗，微文渺說，莫克殫究。譬覽涉江沙，身所親歷，粗可指名，而崑崙嶓冢，源流派衍之際，則惑焉。先訓具在，敢自棄修來，貽譏狂瞽？乃益發憤下幃，單歲月之勤，討所未達，迄於今二十年所。諸經傳子史之篇，為學士大夫述聖而陳帝者，寓目殆遍。竊以中庸之訓，學期明辨，大學之傳，功先致知。辨者所由，適於知塗也，不辨則不明，不明則知不致，此辨物志所以僭有作也。然天下何莫非物哉！物莫大於三才，莫煩於治亂，莫細於飛走動植之類，莫多於注疏貫習之詞。數者，名約指賅，而錯綜其數，則一物有一物之理，萬物有萬物之理。君子之學，窮萬而不離乎一；一者，何則予所操以博辨者是也。

以言乎天，日月星辰，五行災異，劉、董諸儒各有表述，則甘、石二家之說，所不能齊也。以言乎地，江河遷徙，郡縣沿革，名山大國，志記煩多，則禹貢職方之載，所不能定也。以言乎人，帝王將相之眾，家乘世系之遙，才德殊科，褒譏異指，則國史誌傳之所不能合也。以言乎物，神雀黃龍，蒼麟朱雁之屬，誣天稱瑞，史不勝書，則大臣博士之所不能議也。以言乎事，郊廟禮樂，百官名器，盛衰舛度，今昔異宜，則周官禮書之所不能殫也。以言乎文，梵棄者一，散亡者四，經無全書，而專家剽竊，稗編耳食之遺，乘間伺坫。又學官訓詁之所不能明也，凡此皆辨之不可以已也。

然辨非詭詞臆說，專務尚人己也。兩解並存，而折衷一是以著訓，則吾辨有折獄之事。眾口如簧，而孤行吾說以達志，則吾辨有廓清之事。兩端未竭，而博考他說以成理，則吾辨有利導之事。本無是解，而上逆先聖以闡微，則吾辨有崛起之事。凡此，皆辨之不可以已也。而或者曰：『蔡邕獨斷，王充論衡，王子年拾遺，彼皆虎攫詞場，冠冕士類，豈尚有不逮而需子添足乎？』曰：『天下之物，日進日繁。前人以為義盡，而後人又復更端。一人以為獨曉，而人人又為先得。物無盡，辨亦無盡也。況獨斷詳制度禮樂，而山川文物則疏。論衡拾遺詳經傳子史，而旁及謠俗方聞則陋。則補蔡之疏，而鐫二王之陋，欲立言無弊，蓋甚難也。』予竊秉格物致知之訓，探捈索隱，略文逆志，務使人可通曉，義有可復，雖重違秦漢唐宋諸儒之說而不顧。敢曰囊括精微，亦竭吾才分之至而已矣。書成十萬言，分名別類，質之天下。倘世有好者，資為談柄，祕之枕中，則獨為不得予心。惟是義理日新，英賢後起，則文吾說之疏陋，而推廣附益焉。尤予摶心揖志，永懷就正者矣。順治十一年甲午辰月，老子山樵湯調鼎書。」

此序不惟可見此書編纂之體例，且足以示人懷疑求是之軌術。湯氏治學之精神，寓於是矣。且湯氏所撰茲亭文集既不傳，遺文又少概見。今獲此序嘗鼎一臠。故全錄之，聊備他日輯文徵者所取資也。

漁洋謂此書議論多發人神智，錄人參枸杞二則以見例，雖人參條足破占驗之妄，枸杞條足糾流俗之誤，謂其發人神智，固自當之無愧。然尚非其至也，其論：「氣盈朔虛」、「九野」、「災祥」、「日月薄食」、「河鼓」、「慧孛」等，皆深明天行，而不以人事附會。湯氏非治曆專家，而能不溺於五行災異之舊說，其識甚卓。論「屯田」之壞，其弊在改輸粟為輸銀，而塞下為虛。論「封禪」，則不信管仲七十二家之說以為虛誕。其論「楚州置屯」，以為洪澤屯自在洪澤，不得在射陽湖。則又鄉邦掌故，足正前史之譌文。其論「淮泗注江」，以禹貢及左哀九年傳為證，謂射陽湖邗溝，即注江故道，足祛千古之疑，而孟子之言為自據。其論「橋陵」，則闢騎龍上天之妄。其論「共工觸不周山」，以天柱折地維絕為比方之詞，非為實事。其論「飛來峰」，設其形似，非真飛來，使語怪之文化為常理。此類議論，誠足發人神智矣。又若論「蚳蝁非人姓名」、

「趙談名同」非因諱改。朱虛侯之敢於誅呂者，為有外援，以葛洪本傳為證，不信其仙去，破世俗傅會之妄。其他論物、論事、論文，創見尤多，不勝枚舉，略陳其目，以見其釋疑破妄之功，有足稱者。漁洋謂其發人神智，不虛也。卷帙既繁，付刊匪易，僅存孤本，零落堪虞，何時有力之士為之傳布，庶先賢心力，不致泯絕，且亦一邑之光也已。

余讀辨物志，心焉嚮往湯氏之為人。而咸豐志所載傳，文字簡略，未足以見其全。嘗讀他書有載湯氏事，輒刺取之，稍加比次，冀補咸豐志所未備，以為讀書知人之助云爾。

湯調鼎字右君，號旨庵（見康熙清河縣志），一號老子山樵（見辨物志）。父日升，字浴陽，清河諸生；慷慨好義，移家清江浦；其課子孫嚴而有常，治家不畜長物，其素風有足多者。設祀鄉賢（康熙志）。

調鼎幼負奇氣，文采煒然。崇禎癸酉舉於鄉，順治丁亥呂宮榜進士

（康熙志）。初調鼎受知於路文貞公振飛，時明室喪亂，天下土崩瓦解，而江淮宴如，寇欲南略，振飛督漕淮上，練集義勇防河；軍門至清江浦，調鼎率諸生統義勇二萬餘人，耀兵於河上。先是士大夫猶以戎服為恥，及見軍門至，而調鼎諸人皆弓刀結束，始各釋儒衣大袑，短後袜首，人人鼓勇；軍門大閱，手觴賞賚，三日乃畢。自甲申三月至於五月，寇盜不敢南下，路公與調鼎力也。及南都擁立，振飛被謫，明年而江南亡。又二年，調鼎始成進士去（咸豐清河縣志）。明年（順治五年），授湖廣澧州知州（見湖南通志職官表，表謂調鼎為河南人，誤也。河南應作江南。）。時流寇袁、劉等據境劫掠，調鼎偕參將唐洪，協心力、設方略，追剿克復，拊循荒殘。建延光書院以養士，人文遂盛（見一統志、湖南通志同）。官澧州二年，解組歸里，絕口不道仕進，道韻真素，人以為神仙中人（咸豐志引舊志）。性癖嗜書，積書數萬卷，夜讀達曙，齒暮目昏，曾無倦意，其好學如此（見丁晏柘塘脞錄）。所著有周易繫辭後傳二卷、軒轅子七十七篇及茲亭詩集、茲亭文集等凡若干卷（見咸豐志藝文）、行世者十未一二（康熙志）、別有辨物志六卷，說者謂其議論足以發人神智（王漁洋香祖筆記）。調鼎之治學，博觀而約取，凡經傳子史天地萬物，莫不有所論列。而其主旨所在，則為明辨致知（見辨物志序），故清風所被，士大夫咸推重之（康熙志）。次子護，字聖昭，號巨源，順治己亥徐元文榜進士，仕至晉州知州。調鼎就養晉陽，卒於官舍（康熙志）。

蘇蒿坪先生之易學（1、2）

隨伯子

淮陰人文，首推枚叔，曠代而後，乃有柯山，著述之事，何其遼絕也！毋亦河淮交匯，民生凋瘵，流離憔悴，故未遑之事耶？或亦名山祕固，時久淪湮，不傳於後者多也。近世以來，嘉慶、道光間，乃有蘇、汪、孫三先生者，各抱專門，焜燿於世，一時有清河三絕學之稱。每讀通甫先生所撰三先生傳，文詞瑰偉，精光煒然，雖東漢三賢，何以過之！今生百年之後，懷想其高風，油然生嚮往之情，莫能自己。欲進求其著述而讀之，不能得；十年前，在中表萬泉生寓得見先生周易通義，萬松巢先生藏本，經其點定，丹黃爛然。吾謂泉生，此吾邑之文采，而君家之先澤，大可葆愛之物也。時當溽暑，未暇細讀，前年從滬上得一本，偶有少暇，輒加繙閱，見其立說閎通，無間漢、宋，惟在求其至當，名為通義，不虛也。惜書之傳布不廣，鄉人士或有不能舉其名者，因思撮拾大概，聊為曝獻，庶幾先賢心力，不致獲沈於暗陬，則區區之意耳。

蘇蒿坪先生，名秉國，字均甫，先世本徽人，有以武功顯者，後遷清河，遂家焉。先生幼質實無誑言，受經於其父振紀公；累困鄉舉，發憤窮經，尤專於易，薈萃漢魏宋元諸儒百有餘家，究心三十餘年。與山陽汪文端公善，文端視學浙江，延先生往，因盡讀文瀾閣祕書，取己所著，重加改乙。先生著書，惟求其是，有駁異其書者，應手改定；聞有異書，輒思一讀，雖遠不憚。同學東海解國祺富藏庋，即走三百里求假，其勤劬如此！所著有周易通義二十二卷、周易舉正若干卷、四書求是五卷。先生根柢既深厚，又留心經世之學；屬歲大祲，先生以士禮見黎襄勤公，立捐金行賑，活數萬人。（按縣志謂此事在道光元年，而淮壖小記則謂在嘉慶庚寅冬秒，未審孰是？）道光四年，湖水決，先生為黃淮議數千言，陳之當道，而時人皆以為迂，不省也。

先生持身嚴正，終日無惰容；嘗謂黎襄勤公注易雜偏霸氣，而論激切如此；每酒後誦少陵許身稷契語，嘆咤流涕，是先生非無用世之志，乃以諸生終老。晚舉孝廉方正，硜硜經生，託於著述以傳後，恐非先生意也。周易舉正為先生晚年所著，似為定論，今既不可得見，僅從通義中掇拾要刪，又恐不足以盡先生之學，加以易理淵深，非淺學所能窺，奮筆介紹，不覺泚額矣。

周易通義二十二卷，首冠揭要一卷，實二十三卷，卷一至十七為通義本書，依古易本，經傳別行；卷十八至二十二，為附編。「揭要」明著書之指，「附編」明去取之意，其全書組織，大概如此。

自商瞿受易於孔子，至漢而有施、孟、梁、丘之學，施、孟、梁、丘皆今文也；有費直者，不知所受，以傳解經，不為訓詁。費直古文也，今文出自丁寬，丁寬易說僅三萬言，訓故舉大義而已，與費直之不為訓詁，先師家法殆皆如此。迨孟喜京房以陰陽災變為說，首改師法，趨於詫異，若升降、旁通、納甲、爻辰、世應、飛伏，紛紛競起。通人如康成，亦不免昡於其說，雖不無根據，終屬易之別傳，難稱正軌，輔嗣撥棄象數，有廓清之功，又或以清言見譏，後世言數與言理，遂分塗轍；至宋而有圖書之說，霧塞當世，胡渭抨擊之後，盡知其謬，乃又折而返漢儒之徑，若張惠言崇尚虞翻，以謂孔子之傳，端在於是。苟謂其專門之業，抱殘守缺，以存一家之說，未可非也。若以為易之正軌，則未免誤於歧趨矣！惟江都焦氏，寢饋易學甚深，不偏漢、宋，別闢畦町，為近世言易者之巨擘。而吾鄉蘇先生之治易，其立論雖異於焦氏，而不拘漢、宋，惟求其是，所用之方術則同。蓋參讀既多，識解閎達，則所出塗轍，自屬通軌也。而焦氏之書，既盛行於代，先生所著，湮沒不彰，有幸有不幸耶？不亦惜哉！

先生談易，以觀象玩辭為本，前人支離附會之說，概所不取，其言有曰：「文言釋乾坤之義，為諸卦發凡，說卦揭八卦之象，為全經括例，然而四德之義，其疑難析。逆數之說，牽入先天，今竊採瑟庵之說，為辨四德者解紛，用康伯之注，俾談先天者尋舊，皆經中大節目也。至於以八卦配四方四時，與近取諸身、遠取諸物，同一假象，而後世術數之學，皆祖之。雖易之廣大，無所不賅，然此特其支流餘裔，非聖人作易之本旨也。他若漢學升降、旁通、納甲、爻辰、世應、飛伏諸法，以及宋、元以來圖象遞演之說，雖各自成一家，要皆易外附會之談耳。今概不以入經，庶一廓學者觀象、玩辭之塗徑云。」觀於此，可知先生著書之蘄向矣。

先生論易，雖以理為主，然亦不廢觀象，故與王、程不同，略與朱子相近。惟本義九圖，尚囿於河洛，不免有難通之處。或以為非朱子作，乃門弟子所依託者，考朱子之意，本以程傳不談象數，而欲補之。今先生之通義，理、象兼顧，與朱子同意，特所主者，非河洛之數耳。其說有曰：

「聖人設卦，觀象、繫辭，因假象以明理，以虛理易差，實象可據也。兩漢諸儒之說，既滯泥而不通，王弼以來，又疏略而無據，二者皆失之。六畫之卦，上下二體，其象易窮，不得不取諸互卦。又卦有似象、有意象，大抵易辭隨物賦形，委曲盡變，初無一定，要必按之卦體，或分或合，或正或變，驗之卦德，相合相生，實有此象，乃為的切，若象外求象，不敢附會。」蓋先生之論象，仍以明理，故與虞氏之纖巧牽合者不同也。（虞氏言象，纖巧牽合，用陳澧說。）又曰：「爻辭皆發明本爻之理，故其取象，皆切本爻生意以證明之；其就比應言者，亦即就比應取象（例略），至於比應之爻，又難專取，於是從上下體對待取象（例略），舊說取象，多泛而不切，遂覺經文漫無條理。」由此可知先生論象之指，實不溺於象數也。

古本易經與傳各自別行，後世以傳附經，或謂始於康成（顧炎武說），或謂始於輔嗣（孔穎達說），或謂費直治易無章句，徒以彖象、繫辭、文言，解說上下經，即是以傳附經之始，則其來久矣。至朱子考定古文，以經上下為二卷，十翼自為十卷；明代牽就程傳，又復紛紊，朱子所考定，又不可見；先生通義經傳離立，一反古本之舊，是其善也。文字同異，擇善而從，遇有疑義，詳為校正，固乾、嘉以來盛行之學風也。其云謹遵御纂折中，奉為定本者，先生生當其時，不得不作此語，以符功令；實則不盡從，且多糾正之處。折中一書，由李安溪總纂，先生書中，駁難李說者甚多，則先生不以折中為然，又可知矣。

其他關於全經大義者，如論貞悔即正變，論大小二字括陰陽剛柔之德，論往來內外上下，皆指卦體，不指卦變，論易爻，論用九用六，義取占變，或糾正舊說、或發明新義，皆平正通達，無支離怪異之弊。至論小象爻位，序卦雜卦之可疑，皆確有徵驗；其餘訓說獨至處甚多，非關全經大義，略不復道爾。自漢以來，注易之書，不可勝數，至當不易，足傳千古，則亦寥寥；類多支離附會，雜以陰陽術數家言，非以明民，轉滋眩惑。若先生通義之從容中道，雖復晦塞於一時，終必為談易者所不廢也。

同時人之稱述先生者，有汪文端公之序，及丁柘塘先生之詩，其序曰：「予友蒿坪蘇子，篤古之士，究心是經，垂三十年，沈潛反覆，著為通義一書，書疏往來，屢相磨錯。其言象也，一本之本經十翼，參以洪範貞悔、左氏內外傳之說，而漢儒諸家附會之象不及焉。其言理也，一本之卦德卦象卦體本爻變爻比爻應爻互爻，而王氏以後空虛之理不及焉。文字準乎古訓，名物證以群經，章句審乎義理，解義衷諸類例，舊說糾紛，必宜剖析者，別為附錄。」其詩曰：「大道塞荊榛，恨無柏翳煨；變怪幻奇形，白晝庸非鬼。岐路復有歧，頹波益澆詭；卓哉子蘇子，英跱奮然起。學易貫天人，欲挽世風靡；破碎麾小儒，下駟執鞭弭，三古契精微，上與元經擬；象數值日辰，有類臧三耳。納甲配陰陽，顛倒古五子；蘇子不好奇，平易道知止。」汪、丁兩公皆其時巨公碩儒，而詩文中傾服如此，則先生之學，感人深矣。

周易通義，刻於嘉慶丙子，開雕於蘇州，任校讎者為吳縣王琪，時先生年已五十餘矣。淮安府志、清河縣志均著錄二十二卷，若併卷首揭要計之，實二十三卷，志不詳也。海內公私藏家，若浙江丁氏八千卷樓、北平大學、江蘇省立國學圖書館、中央大學、測海樓等書目，均曾著錄，皆嘉慶丙子家刻本，余所購得者亦同。惟北平目有蘇氏重校字，豈此書尚有別本耶？先生著書，本隨時改定，以求至當，既於生前付刊，安知晚年不有更進？則重校之本，自在意中，惜不得取兩本一勘其同異耳。聞書版初藏清江浦四公祠內，久未印行，不免散佚或蠹蝕。改國後移置教育局，與其他版片重疊珍護，亦未有人顧而問之，吾邑文化衰歇，著述無多，似此巨籍，深可誇詡，則補刻流傳，亦後昆表彰先賢之一道也。

記玉林國師（3、4）

鍛工

自佛法入中國後，歷代高僧踵起，一鄉一邑中，苟得名世大德，亦足為山川生色。吾邑褊小，凡事皆遜於人，即以禪宗論，亦復難以稱舉；雖唐有道暉、道玄（見李邕娑羅樹碑）、宋有崇岳（見張耒柯山集）等，年代既遠，墜聞遺緒，不可復尋。

然若玉林之禪。

咸豐清河縣志建置云：「慈雲寺——順治十五年，召武康僧玉琳至京，送居萬善殿，賜號大覺禪師；十七年秋，復至京，進號能仁國師；康熙十四年，南遊，止於慈雲庵，趺坐而逝。世宗頒帑敕建，於乾隆四年告成，是為慈雲寺。其後屢蒙賜紫，並賜藏經纖蓋經、玉如意、籐杖。」

無住之學，前志皆不為立傳，僅附載建置中。

咸豐清河縣志建置云：「棲蘆寺——舊名折蘆庵，有無住禪師者，長沙人，學問淹貫，兼通堪輿、相人之術。明季舉進士，知天下將亂，易僧服。國初至清江浦，有李姓者，與之地而居之，署曰折蘆，閉門戒誦，罕與人事。一日，姚江同知高某來謁，大相賞契，請為弟子，於是無住禪師名播公卿間。康熙四十六年，聖祖南巡，召見，賜名棲蘆寺。」

又如廣達之募修石路，功在行旅，尤宜表彰，亦僅附川瀆工程。咸豐縣志川瀆工程云：「石馬頭，雍正六年建，南北長十八丈，嘉慶間重砌，道光二十九年，僧廣達募修石路三百十八丈。」

蓋前輩眼光，視此等人異端外教，屏絕惟恐不遠，以示尊聖之意。而其人其事，實亦不可泯滅，則為之附見他處，亦可謂煞費苦心。此種安排，殆導源於戴東原。

章實齋文史通義記與戴東原論修志云：「戴示余汾州府志曰：『余於沿革之外，非別無別裁卓見也；舊志人物門類，乃首名僧，余欲刪之，而所載事實卓卓如彼，又不可去；然僧豈可以為人？他志編次人物之中，無識甚矣！余思名僧必居古寺，古寺當歸古蹟，故取名僧事實歸之古蹟。庸史不解，此創例也。』」

然其說已為章實齋所駁，更何必蹈其覆轍哉！

章實齋前文又云：「如云僧不可以為人，則彼血肉之軀，非木非石，畢竟是何物耶？且史於奸臣叛賊，仍與忠良並列，不聞不以為人，而附於地理志也。削僧事而不載，不過俚儒之見耳。」

三僧中以玉林尤有名，而流俗不根之說亦最多，或謂玉林薙度，即在慈雲；或謂辭尊潛遁，匿跡清江；或謂死無人識，微露行藏；或謂國師之封，時在乾隆；顛倒舛譌。咸豐縣志所載，刊落繁蕪，文詞嚴鍊，固已足正俗說。然尚有誤處：一、國師字玉林，縣志誤作玉琳。當國師初出家掩關時，其師天隱修禪師賜以偈，有云「一把無鬚鎖，深藏在玉林。」遂改字玉林，其不作琳可知。二、順治之召，雖在十五年，而國師堅辭，有司敦迫，至十六年，乃至京。縣志未能清晰，似聞詔即行者，誤也。三、國師晚年居天目山，不自暇逸，仍出行腳，渡江北遊，至清江浦而卒。縣志謂南遊，止慈雲庵，亦誤。此緣通甫先生當時總覽全志，未遑精勘耶？然已足糾正俗說之荒誕矣。余以譾陋，未嘗問學，至於內典，尤屬茫然；國師之造詣宏深，何敢窺其法海，感於鄉邦文獻，有待表彰。歷年以來，隨時搜求，思撰解題，聊存形質。國師敷教東南，與淮陰無甚深密之關係，而足跡所經，不無花雨，至涅槃示寂，竟在慈雲，似此因緣，又非疏澹，比於流寓，聊借寵光。爰求得語錄及年譜讀之，鉤玄提要，約為此篇，以供談吾鄉掌故者取資焉。

國師諱通琇，號玉林，常州江陰人；族姓楊氏，父芳、母繆氏，皆深信佛法。國師生於明神宗萬曆四十二年，十二歲而父卒，斂以僧儀。十八歲母氏強為婚娶，託言讀書僧寺不歸，經半載餘，翌年始返家，觀夫婦一如二屍，坐既久，即欲起念，亦不可得，驀地有省，決志出家。時磬山天隱修禪師住持宜興之海會寺，國師就受具戒，為侍者，決疑請益，當機不讓。無何，辭歸省母，即掩關江上，天隱亦遷住吳興報恩寺。久之，老病漸篤，思得一傳法之人，以書召國師往，師至報恩寺，與天隱參究，至掀案而出，隱知其透關。臨卒，令主法席，辭不獲，遂以昌大磬山宗為己任。禪家臨濟宗風，盛於唐宋，至元中衰，不絕如線。明代天童、磬山並興，方克復盛，國師出自磬山，與天童角立。首著辨魔錄，一掃穿鑿，天童密和尚與國師相難，終已屈服，自毀所著直說，今世所行，乃後嗣重刻，非密意也。時國師年甚少，而握機自由，聞者莫不欽服。清世祖聞其名，於順治十五年，下詔徵召，國師以母氏既卒，方營葬塔，而父及師亦均未定厝，固辭不赴；溫詔再頒，許其迄事，國師乃於十六年到京，居萬善殿，不時臨訪道要，恨相見之晚；尋以母未葬，懇乞還山，許之，賜封號大覺普濟禪師；十七年復召來京，恩禮尤渥，進封大覺普濟能仁國師；十八年帝崩，國師辭還山。

國師雖遭際昌辰，然性恬於榮利，無毫髮矜重意；既歸，如野鶴孤雲，無所留礙；會於潛天目師子正宗禪寺，歲久隤廢，群謂非師無以舉揚宗風，延師居之。吳興報恩寺，固師之舊林，其他若大雄磐山善權，皆師嘗卓錫之所，然亦未嘗久留。晚年慈心益切，不憚跋涉之勞，意將窮搜泉石，接弓迷塵，其踪跡常在千山萬水之外。每嘆曰：「趙州八十行腳，彼何人哉！」康熙十四年，時三藩亂未平，沿途多兵革，國師方遊江上，過揚州、高郵，至清江浦，疾作，寓於慈雲庵，索浴說偈，而逝，壽六十有二。戒臘四十三，弟子奉龕歸天目，全身塔於東塢庵之後隴。師廣顙豐頤，玉色，目光炯炯，宴坐如臨大眾，故不威而懾。不蓄私財，即纖細供養，亦不輕受，弟子二十餘人，皆聞於世。師既示寂，宛平王熙為撰塔銘，國師在臨濟宗為三十一世祖，故銘有云：「西來妙旨，五燈分繼，震動鏗鏘，厥惟臨濟，國師嗣法，三十一傳。」也。其弟子六解骨嚴，均撰年譜，未見。余所見者為師法孫超琦所述，附刊師語錄後。國師語錄，列入續藏經此土著述中，凡十二卷，其弟子音緯等所編錄也。

當時禪宗綱紀漸頹，異說紛起，國師為之重振宗風，再立規矩。首臨法座，即著辨魔，則其以宏法自任之毅力，亦可以想見矣。茲錄其弟子骨嚴所論，或可見其大概。

一、禪必以虛空粉碎，絕後再甦，為正悟。悟後必須透脫，末後牢關，方可出世為人。

一、僧必竭誠以孝其二親，始契佛心，方免世人謗僧為無父無君之教。

一、師承有據，必須上溯淵源，尊其所自出，不可忘本。

上舉三端，世皆謂為實錄。蓋不惟所主如此，且皆一一見諸行事，而持律精嚴，不自暇逸，宏化教世之精神，感人深矣。國師點化初學，以客問及工夫說二篇為最明切。文繁不錄，今別錄詩文數首，以見其一斑。

慧命絲懸九鼎危，同塵混俗自知時；蟠桃千載一回熟，頗耐尋常風雪欺。（懷古）

按，此乃國師早年有懷六祖而作，當時辨魔一錄，世無知者，轉滋毀謗，遂感而賦此，可見開法之難。

虛上座血書華嚴經，已書二部，覩其形神枯槁，又喜血繪佛菩薩像，因其請題，進之於真佛、真法、真道。勸其不以有限精力，從流忘反，故少贊多規。（跋虛上座血書華嚴經，又自記。）

余髫年在俗，聞禮普陀朝九子峰者，有捨身洋、捨身巖之說，心竊非之，以為齊東野語。脫白後，乃聞在在有之，此真愚夫愚婦之所為，聖智之所共憫。（憫愚說）

按，上二則，可見國師對於苦行者之見解。

病餘二百日，何幸得生還；視此長淮水，終身樂在山。（過清河縣作）

按，此乃清世祖既崩，還山過清河所作，有關吾邑掌故，故錄之。

玉林國師既一代高僧，於禪門中獨具識解，磬山之傳，遂能昌大，弟子流衍，往往不絕。自慚門外，不能表其萬一，茲之所陳，粗跡而已，禪悅之士，毋哂其陋也。俗傳清世祖出家五台，非真殂落，史蹟不具，莫能詳道。茲以其與玉林國師問答之語觀之，頗能敝屣尊位，遺落世情，則為僧之說，不無絲跡可尋。暇當別為考證，此不復詳。

記嘉靖清河縣志（48）

隨伯子

閒嘗披讀咸豐縣志，見盱眙吳氏為其序，歷述舊志之存佚，以為今可見者，乾隆一志而已。舊聞放墜，能不惋然！後稺露告余康熙志尚在人間，著錄藝風所編學部圖書館善本書目中，為之狂喜。方思募鈔，而稺露委化，意興衰殺，此事遂廢。去歲同里貞敏兄從北平抄得，假來把玩，足慰思古之情，又惜稺露之不克見也。頃某君撰地方志綜錄一書，總全國新舊志書，納於一秩，詳載其收藏之所。而後知北平圖書館尚藏有嘉靖志一部，前於康熙志者，又百餘年。吳序所謂書久缺佚，僅存一圖一序者，今則首尾四卷，燦然具備，為魯、吳諸公所未見，吾輩轉得而讀之，何其幸也！館中人言：此書本藏儀徵吳氏有福讀書齋，前數年始同他書並購得之，知此尚非孤本，宇內藏家，當尚有之。特藏家不皆有目，又非吾縣人，即不知此本之足珍，則亦雜廁群書中，不為人所知。不有綜錄，何由彰顯？於是可證書目之重要矣。

此志為明嘉靖四十四年浮梁吳宗吉所修。其修輯始末，詳吳自撰後序中。序略曰：「予始至清河索縣志，以為考鏡之資。有漫應者曰：『縣瀕於水，何志之云？』久之乃得一帙，成化初知縣朱君海同、教諭歐陽映所修者。僅載舊蹟遺文，於田賦丁繇皆略焉不悉。又未有刻本，蓋亦未成之書也。於是搜先年糧賦驛傳，修敝端諸，逐事為之隱括，遂成一帙。授之張生四維、紀生士範，稍增益潤色之。既成，將籌諸梓，爰序其始末云。」前讀咸豐志，謂朱、歐陽皆嘗修志，而未詳其事。今覩此序，乃知二公草創未具，則吾邑志書，仍當以嘉靖本為嚆矢。此勤惠所謂「承二百年廢缺之後，創始之盛業，莫難於浮梁也。」

志凡四卷，二十六目，條舉章程，修定品式，大體具矣。其所詳者大抵明代之事，自洪武至嘉靖二百年間，興革利弊諸大端。耳目既近，搜採為易，且以利害所關，於施政尤切。故里甲、田賦、徭役、驛傳等門，言之諄諄然，可想見其著書之宗旨，固不以考古徵文為能事也。其言曰：「我朝戶口版籍十年一造，承平日久，生齒日息，是宜倍蓰。而清之戶口，視昔減耗，不啻過半。余因併里之役，得閱覈其實。河水衝決，熟地沙淤，河下應付，諸役毒累。」又曰：「清河舊四十里，災困差累，人戶逃亡，至嘉靖四十一年，撫按題併為二十里。」又曰：「淮北諸地，富者習為商販，未必有田。有田者習為詭隱，未必有糧。糧稅乃悉歸於單弱之丁，逃絕之戶。每遇催科，責併該里見戶，則相率而逃。」又曰：「舊因民逃地荒，額稅難完，以起運派見在，存留派逃亡。年久弊滋，里胥因而為姦；名為逃亡而其地實有人種，名為見在而其地實則拋荒。嘉靖四十三年逐一清審，凡係逃亡，俱令該里畫圖填界，置簿稽查，稍稍得實。」又曰：「走遞夫雖非徭役正額，其在茲邑，則尤所當軫恤者。」又曰：「清河一黑子之土，而置兩驛，其何以堪？清口為甚，兩京之衝，官舫絡繹，斯民疲於奔命。管帳正身，多係鄉民，不慣應付，率至破家，甚有被掠至死者。以故未役之先，多挈家而逃，邑為之累，幾至於廢。嘉靖四十一年諮訪輿議，乃令據見在戶若干，大率扣該納銀若干。別責成街民，近驛慣當者一人管領云云。」凡此皆軫念民隱，藹然仁者之言，又皆浮梁躬親參與其事，乾隆志稱其「儒雅多才，於邑事多所裁正。」而未言其所裁正為何事，不有此志，則浮梁之設施，湮沒不聞於後，而乾隆志為虛美矣。此舊志之所以不可廢也。（咸豐志民賦，載明、清以來損益之數，詳於侯、朱兩公事，未及浮梁。殆以時代隔越，關係疏闊，故略之耶？然亦不見此志，不克知之耳。）

咸豐時魯氏修志，殆未見斯志，故於浮梁治蹟，不能致詳。他如官師門：知縣郗貴洪武三十年任，舊志作「三年」，魯氏據天啟府志正。不知此志正作「三十年」，可知魯氏未見此志，否則不必引天啟府志也。縣丞宋大亨馬表，魯氏謂舊志失其年，不知此志明云「嘉靖二十餘年間先後任。」足補魯志之缺。貢舉門：舉人章鑾，弘治己酉，舊志作「壬子」，魯氏據南國賢書正，不知此志正作「己酉」，則魯氏未見此志審矣。魯氏所謂舊志乃乾隆志，乾隆志誤而此不誤，則乾隆修志時即未能見此志，又可知矣。故乾隆志凡例僅云「取康熙三十四年舊志之善者仍之」，未云參考嘉靖志也。卷首所弁嘉靖乙丑舊圖，持與此志原圖核對，面目迥非。此本圖北上南下，乾隆志所載南上北下，彼此顛倒；且此本無城，而乾隆本有城；此本有河南鎮、洪澤鎮，乾隆本則無之；其他異同極多，迥非一圖。蓋乾隆志由康熙志轉錄而來，康熙志僅題「清河縣舊圖」，乾隆時人未見此志，遂誤以為即嘉靖志圖。不見此志原本，孰知其非。盱眙吳氏謂：「嘉靖志存一圖一序」者，序則是而圖則贋也。前人生百數十年之前所不得見，而吾人得展玩籀讀，細校其異同，不亦快哉！

臨川管氏乙亥志序曰：「他邑志遠二百年，近數十年一修。其山川土田，亙古不易，人物風俗之變，積久復移，故其修弗數數然。若清河則河流遷徙，輓漕開塞，不數年輒變。變則流峙異形，四封殊埃。而戶口錢穀，數與俱更。失數年不修，即疆域形勝土田戶口，稽覈無所憑。」善哉管氏之言，深明乎吾邑之形勢矣！吾邑介在淮壖，南北所必爭，當晉、宋、金、元之際，其流離廢置，亦已屢矣。圖經不存，下鄉何在，娑羅既化，妙蹟遷移，思古幽情，徒增慨惜。況黃流奪淮，兩川並盛，昏墊之餘，衰頹尤甚。今之河流，非昔之河流也，今之墟落，非昔之墟落也。淮、黃交病，洪澤淪胥，驛路既更，官亭廢棄。不有舊志，何以詳其驛鎮之情形！乾隆志為魯志所本，讀之尚少異聞；然已不無足相補苴。前見康熙志鄉鎮里圖，已多差異，茲繙嘉靖志，如適異域，全非今狀。時愈久則變愈烈，非他邑能保守比也，此舊志之可貴。吾嘗與貞敏兄言，吾邑志可見者，康熙而下至先公所修凡五部，以為他志不可復見矣。今則嘉靖志復顯於世，並前凡得六部。吾邑之志殆云備具。彙集而刊行之，斯亦負地方責者所有事也。

震謹按，此嘉靖乙丑志係託請北平圖書館抄錄，連同由先父耕研公手抄之康熙壬子志已於民國七十九年經淮陰同鄉會影印刊出，可慰先父搜集鄉邑藝文之志矣。

題抄本康熙壬子清河縣志後（58）

隨伯子

此志博羅鄒侯監修，而邑先賢汪公之藻所編纂也。吳勤惠公為咸豐志作序，謂此修成而未刊布，遂以無存，誤也。魯、吳諸公皆未見，迄今又八、九十年，以為終不可見矣。稺露讀學部善本書目，載有此書，狂喜相告。其時未審知學部書展轉何屬，未能轉抄。未幾，稺露物化，家庭多故，情懷甚惡，則亦不復置念。同里秋懷室主博雅多能，尤喜考訂鄉邑掌故，聞斯志尚存在天壤間，又知其歸於北平圖書館；即馳函託抄，不旬月而赫然呈於案頭。繙閱再四，校其異同，相與嘆詫。感於舊籍之復顯，而物必聚於所好，亦足以傲魯、吳諸公矣。歲杪多暇，雪窗命筆，傳錄一過，庶幾又多一傳本在世間也。

原本四卷，而第四卷闕，以目考之，若箸述文目、若藝文，從嘉靖、乾隆兩志採輯，可復其舊。惟雜辨備遺中，未知所述何語，今既闕佚，無從臆補，為可惜耳（由前三卷注語觀之，知雜辨中有吳城考、崇河集辨上真觀考等文，內容不詳）！卷二闕八頁（一至八），祀典、兵禦、河防全闕，驛遞闕其半。卷三闕首頁，選舉遂無序，皆無可補。又乾隆志藝文中有鄒侯序一篇，此佚，可補錄也。原本每頁十六行，行二十字，茲所抄，行格未能相符，他日有欲刊行者，當以秋懷室本為準。吾邑舊志，惟康熙乙亥志，未知存佚（勤惠序謂「已無存」，未可信）。若嘉靖志、若此志、若乾隆、咸豐、光緒諸志，及先公續志，凡六種。吾家皆有之，可云備矣。

抄成率題數絕，雜賦邑事，亦不專為此志發也。詩曰：

其一

淮上荒城沒草萊，猶聞故老說韓枚。千年流水成今古，不見王孫舊釣台。

其二

舊聞何處覓圖經？一代文章失典型。賸有娑羅傳妙筆，坐論北海眼為青。

（唐代三百年詩人蔚起，而淮陰無一焉。殆圖經既佚，無可考耶？）

其三

當年此地介華夷，玉帛干戈幾轉移。右史詩篇高士畫，聊堪點綴見偉奇。

（宋、金以淮水中流為界，淮陰分屬兩國。兵燹之餘，民生憔悴，其時文物，傳於今，甚寥落也。）

其四

似說浮梁不可求，魚頭彈射未能周。明清六百年中事，好共雲煙一例收。

（魯、吳諸公未見嘉靖志，余從北平抄得之。淮陰人文，唐、宋間均甚闊略，自明而後，乃燦然具備。蓋浮梁創修之功，考證偶疏，未足為病。）

其五

浮梁創始事誠難，以簡稱鄒實不安。一祕蘭台三百載，人間又得寫烏欄。

（勤惠謂志莫難於浮梁，莫簡於博羅。博羅所修四卷，今存三卷；規模體製，堪稱具備。其後桐鄉亦不過踵其成事而已，謂之為簡，未審何意？）

其六

茫茫淮甸大河橫，昏墊餘生苦踐更。抄罷遺編三嘆息，幾時禹蹟再澄清？

（鄒侯此志於當時河患差傜叮嚀致意。自河流北徙，邑人方得息喘。今則河決魯、豫，有南來之勢。讀前志往事，能不驚心動魄耶？當局頗銳意導淮，冀蘇民困，而黃河不治，則禹蹟終難規復耳。）

康熙壬子志錄後感賦長句

范耕研

此詩係先父錄後所寫，未刊於「學林」，今附錄。

韓多枚速是鄉賢，唐宋圖經不記年。濁浪清流驚往事，珍聞墜緒待新箋。

藝風箸錄誰留意，太息斯人久閟泉。差幸亂離身尚健，雪窗呵筆校殘篇。

記乾隆清河縣志（5~7）

賡言

吾縣縣志，當以淮陰圖經為最古，太平御覽引書中，即列其目，陸羽茶經亦引之，雖寥寥十字，可見圖經必為唐時所作，特未知出何人手筆耳。厥後更歷宋、元，未聞纂述，至明嘉靖乙丑，乃復有創製，清康熙時，則有壬子、乙亥兩志，皆以應當時統志之徵訪，未稱詳備，今壬子志尚有殘本，餘皆散佚不傳。今通行為魯通甫先生所修之咸豐志，吳稼軒先生所修之光緒丙子志，及先公所修之續志而已。咸豐志之前，尚有朱元豐所修之乾隆志，為咸豐志之所本。先公續修時，志局中亦購得一本，其書雖前有所承而事同草創，陋略之處，殆不能免，遂為魯氏所譏。板既久燬，傳本甚稀，世人皆聞魯說，同口致誚，不復求其本來，余甚惜之。嘗讀此志，見其發凡起例，徵古訂今，規製宏闊，亦有可觀，久思撰文，以彰顯之，惟所見本，脫簡甚多，歘然未能自滿。頃須公從里中舊家購得一部，較前為備，為對勘一過，爰攄所得，以質方家。

自康熙乙亥重修後，五十餘年，為乾隆戊辰，太守衛哲治新修淮安府志成，時清河令為桐鄉朱元豐，政成多暇，於是援據郡志，取舊志而釐定之。為卷十有四，為目三十有六，疆域有圖，沿革有表，凡越四月而成書，即今所謂乾隆志也。時參與其事者，則有教諭吳詒恕，字次安，桐城人。邑人之任分纂採訪者，則有陳仁濬十餘人，皆諸生也。而山陽阮學浩、周振采，並與訂正之役，可謂盛矣。且朱氏之序有曰，「余與邑中賢士，參互稽考，於舊志當存者仍之，不敢妄加竄改，以蹈轉相呰謷之習。」可謂慎矣，而終不免後人之呰謷，斯誠修志之難也！

評斯志者，有蕭、魯二家之說。蕭枚生先生清河疆域沿革表曰：「清河志，乾隆桐鄉朱元豐重修，譌謬疏脫，如掃落葉，史書地志，殆未承睫。如所稱清河，在漢為曲陽、為高山，在東晉為馬頭郡。考漢書地理志，東海郡有曲陽，臨淮郡有高山。宋書州郡志，南豫州有馬頭太守，皆非淮陰角城之地，志徒以應劭說曲陽為淮曲之陽，指為清河，而不知遠在東海郡內。又指清河之老子山，為高山所由立，河口之馬頭鎮，為馬頭所由名，鄉壁虛造，俗語丹青矣。」此譏其沿革之附會也。

吳勤惠咸豐志序曰：「乾隆戊辰，朱侯元豐，據郡志舊志成書，貫串三家，即近所因。然考疆域而沿革不盡明，徵人物而登載不盡允，敘官師而不及宋、齊之代，考川瀆而未詳疏蓄之宜，其他複見錯出，殆難以疏舉。」其所謂「疆域不明」者，謂誤以「末口」為「宋口」，「高山」為「老子山」也（見咸豐志凡例，高山一例，承用蕭說）。其所謂「人物不盡允」者，謂陳球、陳登乃下邳淮浦人，應刊去也（見咸豐志人物序）。其所謂「官師脫誤」者，謂其不明疆域苟從簡陋，缺晉、宋以來，淮陰鎮將若守令也（見咸豐志官師序）。其所謂「川瀆疏略」者，謂其載分黃、導淮事甚略也（見咸豐志川瀆）。指摘既多，幾無完膚矣！夫人地差互，疑惑後昆，此誠作志者所宜戒。「然古今沿革，非臆造所能為，考沿革者，取資載籍，載籍具在，人人得而考之，雖我今日有失，後人猶得而更正，若夫一方文獻，及時不與搜羅，則他日將有失放難稽湮沒無聞者矣！」（見章實齋文史通義）。乾隆志雖疏於考古，而詳於載今，俾明、清以來二百餘年之事蹟，不見於史者，亦得傳於後世，而後魯氏踵修，乃得有所藉手，厥功亦偉矣。乃齗齗然訾其沿革之誤，何其不恕也。且其致誤，亦自有故，若宋口之說，沿自杜預；曲陽之說，亦本諸江南通志；人物中闌入二陳，則自康熙壬子志已然（壬子志凡例有云，其有古今明證，經前輩論定，如陳公球，球從孫登，間增一、二，是志載陳球始自壬子志，非乾隆志所新增也）。魯氏所補晉、宋秩官，皆淮陰鎮將若守令，乾隆以前，清河介在河北，淮陰舊壤大半屬山陽，志中不載淮陰秩官，雖似疏略，亦其慎也。分縣後除棠梨涇等數處仍屬山陽外，餘淮陰地盡歸清河，魯氏錄淮陰秩官，自無所用其遲疑，特不可用此以譏乾隆志耳！

川瀆一門，咸豐志記載特詳，乾隆志較之自多遜色。然其於疏洩之宜，未嘗不欲叮嚀致意，而終以此見譏於魯氏。蓋其時南河成案、行水金鑑諸書，皆不及見。前代之事，尚有正史可據，至近事，轉無可取資，分黃、導淮諸大端，與夫康熙時之廟謀群議，殆有非偏邑人士所能盡知者。魯氏時行水金鑑既行於世，又有成案可憑稽檢，自能補苴前人缺失而有餘。金鑑記至道光，其後之事，魯氏亦不復能詳矣！夫以一邑之志，而知注意川瀆，載其源流治法，以為問水學者之助，其端實自乾隆志啟之。特造端者簡，畢事者鉅耳！況有乾隆志詳，而咸豐志轉略者，此舊志之所以不可盡廢也。

他若河渠之通塞、街坊市井之建設、鎮集興衰之情形，皆當時之實況，賴此志記載詳實，魯氏乃得據以點竄。今咸豐志中「鄉鎮」一門，文詞燦然，大類史公之傳貨殖。然窮其來源，大半取材舊志，所增改者王營、漁溝，二、三處而已，是蓋不關正史，無待考證，舊志而外，亦難虛造故也。且縣之南境非無鄉鎮，若武家墩等處，分縣以前，自難闌入，魯氏亦竟屏而不載。知其全襲舊文，未有新創，遂令當時南鄉村落情形，黯然無考，不將蹈章氏之所譏乎。

他若人物一門，自元以後，多不見於正史，而魯氏譏其空言無實，然不有舊志，將並此無實之傳，亦歸湮沒。漢書人表，多無事蹟，後世考訂猶可取資，況蕞爾之邑，文獻寥落，與其失之苛嚴，無甯寬搜博載。庶幾故家苗裔，尚得數典有徵。且文章卓爾，功業爛然，求之全國，代有幾人！至淮濱沮洳下邑，學術不昌，偶有傑出當時，亦不過一鄉一邑庸德庸行之士，未必無可稱道，而里巷交遊，豈皆善於屬文，遂令事實不彰，徒存虛美。而魯氏遽興載筆選事之嘆，為舊志咎，毋乃苛歟！夫空言無實，固載筆所宜戒，而褒貶所關，似不能飾巨慝為至聖，則前志舊文，又何可概歸抹撥？魯氏於乾隆志列女所載諸傳，刊削其文，僅存姓名（如王夢周妻許氏，王應震妻許氏等，乾隆志皆有傳，咸豐志則無之，其他甚多，不盡舉）。不有舊志，讀者亦漠然視之矣！此又乾隆志不可廢之一端也。

夫偏聽固足致惑，而不比較亦無以見是非。世人以乾隆志為簡陋者，一由於魯氏之論，又以咸豐志文詞美茂，考證精詳，群相信服，舊志遂廢，無人寓目。實則咸豐志固美備，然亦不無小疵，不以舊志勘校，終無以發其覆。咸豐志建置門，有「仲子祠，在仲家淺，康熙八年奏設奉祀生一人。」其文甚略。案乾隆志云：「仲子祠，先賢仲子家廟。其裔孫自仲家淺僑寓清邑，三百餘年，明初大理寺少卿仲德，建有家廟奉祀，康熙八年奉江撫韓題留奉祀生一名。」是仲子之裔，自仲家淺遷居清邑數百年後，乃建祠。咸豐志漫云祠在仲家淺，不知其不屬清河境也。又如舊志戶口門，自景泰以來排年記載，或增或減，一覽了然，雖造報之時，或不無虛擬，無寧過而存之。而咸豐志一概刪削，滋生減耗，轉以無徵。嘉靖一志，康熙兩志，雖佚不傳，而序例及圖，猶存乾隆志中，可以窺見大略，少資比較。咸豐志中，僅吳勤惠序節錄舊序數段，圖及凡例，皆見捐屏，而別增河口十一圖，殆依成案金鑑，俯拾即是耳。河口變遷，所關固鉅，然不有全圖，何以明沿革？吾人留心掌故，方將上考秦、漢，雖參伍訂正，終難得其全勢，而致憾當時之無圖。明、清近代，幸有傳圖，又何為而棄之？舊志藝文一門，皆彙錄邑人所作，及有關本邑掌故者，濫列多篇，有類文選，世多譏之。故咸豐志用班書例，止載書名，體例嚴正，是其善也。文字雖或分別錄入各類以存掌故，已不足會觀邑中人文之盛，況詩文之被刊落者，固已夥耶！不有舊志，則後之輯錄文徵、詩徵者，將嘆前人荒陋不文矣！其他小小異同、詳略，足以補咸豐志之脫漏者不少，不及備舉矣。總之，咸豐志誠美備，而乾隆志亦不可廢耳。

嘉靖志、康熙乙亥志，既不可復見，康熙壬子志，亦殘缺有間，乾隆志幸有全書，板既久燬，流傳不廣，倘有好事之士，取康熙殘本及此志，重為開雕，與魯、吳兩先生所修及先公所續，彙五部為叢刊，以備一方之掌故，不其盛歟！是則區區撰輯此文之微意，豈敢於先賢妄肆抑揚之論哉。

讀咸豐清河縣志札記（43、44）

賡言

咸豐清河縣志，魯通甫先生之所修也。清河舊志今可考者凡四：嘉靖一修，康熙兩修，乾隆一修。而疆域沿革不盡明，人物登載不盡允，疏舛之處，誠有如勤惠所譏者。加以縣治東移，黃流北徙，其變遷興革諸大端，所關尤鉅。通甫先生以命世鴻才，任纂修之責，義例精嚴，而文辭華贍；固已度越前賢，亦復為後來所不可加。較之章（實齋）、洪（北江）諸公，何多遜焉。其後一再賡續，而總輯於比部，比部之書既行於代，咸豐志遂漸不顯。世之論者，多稱魯氏之邳州志，而罕道此書。實則邳州志徒以簡勝，尚非其至。此書訂譌正謬，博大精深，有非邳州志所可及。愚以謂魯、吳兩志，蓋若史、漢，宜並行而不可遷祧。庶幾考里閭者，有所兼資耳。每於課讀之暇，時時籀繹，一得之愚，未嘗不可獻疑補闕。又若友朋談讌，開益神智；以及他書轉相發明者亦不尠，輒記簡端用備遺忘。

積日既久，得如干條，錄成一帙，以實本林。世之方家，幸教正之。

吳序略曰：「清河縣志，創始明嘉靖中浮梁吳侯宗吉，其書久缺佚；存者疆域一圖、郡人胡應嘉一序而已。當康熙壬子之歲，博羅鄒侯興相纂修，書成而未刊布。又二十餘年，臨川管侯復修。三書皆以無存。」

謹按：本縣縣志當託始於唐人之淮陰圖經。雖其書久佚，然他書尚有引之者。當移治前，淮陰舊壤屬清河者尚少，至移治後，則淮陰舊壤大半入清河境。則宜託始圖經，殆無疑矣。嘉靖志四卷，有刻本，藏清故宮。康熙壬子志四卷，存三卷藏清學部，見繆藝風所撰書目。今均歸北京圖書館，見近人方志綜錄。惟管侯所修康熙乙亥志，未知刊刻否？存佚亦無可考。吳氏謂三書皆無存者，誤也。

河口十一圖。謹按：本邑昔為黃、淮交匯之所，變遷興革，關係至鉅。故歷來修志莫不於河防一端，再三致意，魯志尤詳。更載有河口圖，以明其跡，為後來水工史之重要資料，與古人圖、史並重之意相合。惟不載舊圖，使縣境內鄉鎮沿革，湮沒無考，轉不若乾隆志，尚存康熙諸圖矣。

疆域沿革。謹按：舊志沿革頗多疏謬，已為前人所糾。考本縣沿革者當以蕭氏之南清河疆域沿革表為善。魯氏此志，殆本於此。蕭氏以角城在境內，魯氏棄而不用，餘皆因之，無所增益。蕭氏詳於南境，魯氏亦然。北境自唐後金前，分屬何縣，惜未考也。蕭表引南齊書•州郡志：「南徐州南高平郡，宋太始五年僑置，初寄置淮陰。」又引宋書•州郡志：「東平太守，宋末又僑立於淮陰。」此兩僑郡，魯氏失引，未知何故？

疆域高度：「清河北極出地，高三十三度三分七杪，較京師差六度五十六分三杪。」謹按：丁雲梧度里表：「清河北極出地三十三度三十七分。」此作三分七杪。未知孰是？惟丁表駢列各縣，鄰封比次，相較而推，當不致誤。倘依丁表，則京師差度應作六度二十三分矣！文云：「偏度在京師東二度三十四分七杪，計六百四十四里二百十步（横黍尺），準今營造尺五百十五里三分里之二。」謹按：丁表，偏度正合，偏里則作四百二十七，與此兩種數，皆不合。

建置壇廟：「仲子祠在仲家淺。」謹按：乾隆志「仲氏自仲家淺境遷來。」仲家淺乃其故居，不在清河境內，此不別白，似誤。

建置壇廟：「王公祠。祀船政同知王士正。」謹按：邑人萬松巢先生為之記。略曰：「清江浦大橋口有榷關一，漁洋先生嘗以禮部員外郎來榷此關，專主船政。昔人多索私魄，上下倚為利藪，先生一卻之。船乃益堅，漕運賴以濟。」

建置鄉鎮：「洪澤鎮。」謹按：乾隆志，謂「洪澤鎮在成化中猶村聚繹布，陸路縱橫。有漕嘴、舍頭、高秋保、萬家園、陳家莊等地。」魯志以陳家莊為陳家廟，又以屬之於堡，不知何據？又按：康熙府志尚有洪澤鎮，則鎮之沈沒在康熙後。蓋靖、歷以來，河湖交溢，猶未至瀰漫也。又康熙府志典禮門，載洪澤鎮尚有龍王、上真、晏公三廟。」又按：洪澤既沒於湖，遂不能確指其所在。樓鑰北行日錄云：「至洪澤，候酉潮開牐，三十里過瀆頭。」又云：「洪澤前去歐家渡，極淺。瀆頭村即都灌塘，都灌塘今譌為都管塘，在縣西南境；距此西北三十里，當為洪澤鎮所在。雖浩淼中，居然可指矣。」由樓錄知鎮有牐，及歐家渡，今均不可考。淮壖小記引張舜民郴行錄：「閘旁有太平興國觀。」又按：鴻雪因緣圖記謂：「湖中時有蜃氣，幻作樓台諸狀。」

建置鄉鎮：「王營。」謹按：乾隆志作「王家營鎮」，此省「家」字，似非。

學校：「新縣學宮。」謹按：山陽志遺云：「清江浦龍王閘之南，另立黌舍一區，舊志未載。張太史編山陽縣志始詳言之。舊為浦江書院」云云，載其始末甚詳。魯氏全本於此，而文特簡約耳！

學校：「崇正書院。」謹按：康熙府志載知府陳文燭記，略曰：「書院舊為如意尼菴，張公下車改之。選諸生二十人，公日至課讀，相與質問，或漏下二鼓，以二人前導，至院察夜讀之勤惰。亦具膏火，貧病婚娶，共為經紀，尊如嚴師，親如家人父子。故造士有成」云云。志又云：「不三年，張公調汶上去。書院之設，僅存故事，天啟間遂以其地變價」云。

官師唐令：「王光謙，太原人，淮陰令。（見宰相世系表。一統志曰：「光謙務清淨，去煩苛，推誠教廉，士風丕變」。不知何所據而云然？）謹按：權文公集，有光謙墓志銘，是一統志所據也。其文甚詳，足補志之不備。

官師唐令：「張松質，淮陰令。（見趙德甫金石錄，並未詳其年。）」謹按：此見娑羅樹碑，碑立於開元十一年，則松質作令之年，約略可知。

官師補遺云：「洪澤巡檢顏鳴玉。（見歐陽公于役志。皆未詳何年。）」謹按：「顏鳴玉」，于役志作「顏懷玉」，此誤。此卷補遺乃魯氏據淮壖小記所考錄入，見小記自序。此沒其名，何也？又小記原書皆有年可詳，此云未詳，亦誤。又小記卷二，淮郡好巫條云：「吳興沈生為淮陰令，夜聞故人鬼詩。（見宜室志。）」此未錄，殆以其小說，屏之耶？

官師：「明知縣張惟誠。」謹按：康熙府志作性誠，未知孰是？府志又謂學者稱之為裕吾先生。

官師教諭：「沈嘉植，泰州人。」謹按：泰州志，沈嘉植傳云：「晚年任清河教諭，水潦之後，振興風雅，工詩善書，著有山雨樓集。」

官師：「清江閘閘官。」謹按：魯志僅載清代。頃從人名大詞典中得明代一員。「江師古，字克承，蒲圻人，弘治進士。授工部主事，管清江浦閘，時中貴往來作威凌轢，師古不為屈。正德初，劉瑾柄國，抗疏歸，性儉樸，敝衣糲食，翛然自得。」未知明史有傳否？當更攷之。

人物：「張耒傳云：原注，『耒主明道宮，當在徙宣州之後。史文小誤。』」謹按：史文簡約，僅載大事，縣志當較史文加詳，乃可補其未備。若文潛體胖、善畫馬、善醫、嗜酒、病痺、諧謔諸事，雜見宋人小說。刺取以撰詳傳，更足見其為人。淮壖小記云：「宋史傳中論文語，係集中答李推官書，洪容齋在史館，攝取入傳，見容齋隨筆，而元代修史沿之。」今魯志乃刪去本傳論文一段，毋乃矜慎太過歟！又按：文潛兩主明道宮，一在京，罷宣守後所主也；一在亳州，為崇甯初所主也。罷宣守後所主時甚暫，故史文略之耳。魯志謂其誤者，誤沿淮壖小記之說。考證見家弟耒研所撰右史年譜。

人物：「龔開傳。」謹按：明程敏政輯宋遺民錄卷十，載聖予事甚詳。聖予所撰文、陸二傳，均載其中。魯志開傳甚略，殆僅據吳萊桑海遺錄序而成。近人刊楚州叢書龜城叟集，未知曾錄程書否？倘就宋人筆記輯錄軼事，別撰一傳，當更可觀。又按：龔高士女亦高尚有遠識，見陶南村輟耕錄。

人物：「葉公政傳。」謹按：公政事見輟耕錄，視此為詳。

人物：「湯調鼎傳。」謹按：湖南通志名宦載右君仕績頗備，足補志中之闕佚。（余別儗一傳，載本林第二十二至二十四期。現刊本輯第56頁。）

人物：「吳一清傳。」謹按：吳氏論「五福無貴」一段，見閻氏困學紀聞卷二注，此志所本也。惟此作字太一，彼作太易，同音故得通耳。淮壖小記卷三引四書釋地三續，論天時、地利、人和一段。又引潛丘劄記題邵文莊簡端錄，亦論及吳氏事。足補志之闕略。

人物：「汪椿傳。」謹按：丁儉卿柘塘脞錄，有汪春園、蘇蒿坪、孫長源三人傳。謂三君皆清河人，今六十餘，健在，神明不衰。今編此集（謂山陽詩徵）凡現存諸公詩不收。附記其學行於此，以待後之輯志乘者採焉。詩徵序作於道光七年，此志修於咸豐四年，三君皆已死。志中三君傳相比次，文特奇偉，差可比後漢三賢。而表章之端，乃開自丁氏此錄。惟丁氏所撰汪傳之前，尚附有其先世石翁先生事，志竟闕軼，未知何故？

人物：「流寓張素傳。」謹按：檜泉尊人已終老清河，似不當仍列流寓。子雍，山陽詩徵柘塘脞錄均作滙川先生，此作淮川，未知孰是？

列女：「宋義婦李氏。」謹按：夷堅志亦載此事，同本徐集，別載一婦，為賊所擄，以計脫歸，惟已失身，故志中不復稱引矣。又按：通甫類稿稱某氏婦為達節，志中不載，其說恢詭，殆寓言耶？

古蹟：「枚乘宅。」謹按：史謂乘東歸時，皋母不肯從；乘怒，分皋數千錢，留與母居。是乘有宅在淮陰，皋則未嘗有宅。趙詩誤也。故志中不稱枚皋宅耳。又按：淮壖小記所考淮陰古蹟，與魯志各有詳略，可備參考。

藝文：謹按：魯志藝文，為體所限，未能詳為介紹。余嘗發願別撰考證，草稿長編，未能敘次。已載本林者，凡若干種，茲不復詳引，僅將志中闕誤諸書，略陳於此，聊見梗概耳。張文潛老子注，見焦弱侯老子翼引。明道雜志二卷，刻入明人顧氏文房小說中，志謂「見淮郡文獻志」，似不知其有傳本也。治風一卷，凡三十二方，見通志引書錄解題。志云「醫書」，似誤。文潛又有兩漢決疑八十卷，宋史及諸家書目多不載，未審何書？而坊間綱鑑易知錄及人名大詞典均著錄，未知何據？當更考之。

張素有敘姓千文，見山陽志遺。湯調鼎辨物志六卷，徐潄鷗丈藏有刻本，志云「二篇」，誤。張致中張氏宗政，山陽志遺作「家政」，未知孰是？張力臣有漢隸字源校本，見全謝山集。詩正字，見音學五書。娑羅碑跋，見金石文字記。今望三益齋所刻張亟齋集，乃丁儉卿所輯本也。汪汲所撰都凡二十餘種，總名古愚老人消夏錄。刻本世多有之。而子目多寡不一，殆隨時刊印，先後有不同也。汪椿所著十四經通攷，有刻本，王制里畝二數考，即在其中，志別為目，誤也。日知錄補正亦有刻正，丁儉卿復加校語，今藏新城陳氏，刊入青鶴雜志中。志謂「汪著大凡百餘卷，皆未刊行」，似魯氏未見諸書，而妄說也。王永熙有替搓集，志中失載。汪詒轂三遊小草，原刻本作「轂詒」，此作「詒轂」，當以本集為正。陳樟淮陰三張錄，見十六錢硯齋集。志中於萬鏞所著書下總注曰：「諸書多未刊行。」按以上有蘇秉國、孫長源、蒲汴、汪轂詒、萬家騮、蕭令裕、萬鏞諸人，所著多有刻本，而魯氏漫云未刊，不考之過也。蔣堦甦餘日記，志失載。堦與魯同時友善，非不知有是書，特原本蕪冗，迥非溫叟精選者可比，故魯氏忽之耳，今附刊抑抑堂集中。

雜記：魏勝傳。「謂士卒曰：『我當死此，得脫者歸報天子。』乃令步卒居前，騎為殿，至淮陰東十八里，中矢，墜馬死。」謹按：言行錄作十八里店，金史作十八里口，元豐九域志作十八里河，乃當時一重鎮。此云十八里，宋史脫誤也。淮流一勺引作十八里中，則又誤斷句也。

雜記：「耿世安傳，事聞，贈五官，立廟淮安。」謹按：淮南詩鈔謂「耿廟額曰忠武，今不知所在。」又按：嘉慶海州志，「世安海州人。今吳城鎮有耿公廟。」

雜記：「天啟淮安府志，『路、王二公守淮。』」謹按：此事又見明季南略，較此互有詳略。

民國八年補刊跋云：「再續編書、板皆無存，不得不暫付闕如。」謹按：再續編，世之藏家，頗有其書，非亡佚不存也。

清河縣籥舞碑記跋尾（38） 耕研

己未愚假館揚州，晤石逸太姻丈，出其先德芷庭公所書籥舞碑記，屬為題識。吾邑自移治後，文廟立而禮器未備。道光三十年新製籥翟，其治丁祀合樂，刻石載文，以昭其盛，乃西寇奄至，遽付劫灰，鄉里舊聞，既缺略而無徵。丈更以先蹟所寄，彌滋私痌。詗知吾家尹南公藏有拓本，假歸摹勒，用還舊觀。故此碑有前後兩刻，此其前刻拓本也。昔北海李邕為吾邑撰娑羅樹碑，中更喪亂，毀佚不存。明人獲舊本，得以重刊，嘉話珍聞，為考古之士所樂道。丈之再建茲石，有似於此。嗚呼！木石無情，而興廢有時，蓋如此哉！吾家與丈既累世姻好，而此本又吾家舊藏，附名冊末，曷敢固辭？癸酉初夏范尉曾耕研敬觀並記。

淮陰藝文考略（25～27、33～35、57、64～66、109、110）隨伯子

吾縣藝文自來不振，都尉、右史而外，其能彪炳史冊者，蓋寥寥無幾，加以地居淮壖，南北之衝，凡魏、晉、六朝、宋、遼、金、元華離之際，輒為兵爭所集。人民流離，或至淀為墟落，文事廢絕，殆有其由。幸有述作，刊行匪易，即令刊行，又將委棄於燹火，不克久傳於後，後世有無徵之嘆。不然，以盛唐平治二百餘年，而吾縣闃然，未聞作者。即北宋御世，亦過百載，傳者惟稱右史，豈無其他一、二善文之士？迭經亂離，湮沒無考，不亦惜哉！

自咸豐縣志著錄藝文，明清以來，著述可考者，乃近百家，賡續有作，又復百家。雖不無空法虛目，濫廁文林之譏。而專精獨至，確有可傳者，亦甚夥。徒以偏陬下邑，無有有力者為之推挽，局於鄉里間流傳不廣，不能與文勝之邦並流美譽。然永嘉文獻，所以播頌於士大夫之口者，

雖其學風之盛，毋亦有人為之志其經籍，使讀者得有所稽考也。

余不自揣量，妄欲於鄉里藝文，有所考列，庶幾先賢心力，不致泯沒不彰，後進之士亦可有所興感。俾知淮陰雖蕞爾窮鄉，而數典稱賢，尚非寂寞。惟志大力劣，淺見寡聞，闕誤之譏，其何能免。倘識者閔其愚拙，賜加匡正，感何可言。至於名德之後，寶藏先著，好古之士，珍庋叢殘，或慨然見假，或惠然賜告，俾脫略者得以完全。豈惟拙著之幸，亦將為考文徵獻者所同欣。謹識於此，馨香禱之。余傭書邗上，違里日久，不獲與同里先輩從容討論，偶獲一編，即命筆鉤稽，促促少暇，未能董理比次。倘異日竟克完就，當更訂體例，分別部居，使四部秩然，時代不紊，茲姑刊布草稿，以為就正有道之資而已。

㈠禮記省度四卷　清彭頤撰　同治山陽縣志、光緒淮安府志、續纂清河縣志均著錄　原坊間刻本自序略曰：「戴記一經，為卷四十有九，為文九萬有奇。其中精賅鉅細，錯出而難稽，業是經者顧彼失此，望洋思返。予曩有題解一刻，謬為海內推許。年來下榻湖湄，復殫精畢力，謝絕一切戶外事，廣搜考證，而僭為折衷。諸先達以為簡賅，鳩金付梓，顏曰省度，取省括於度之意也。自念十餘年來，顛倒困頓名場中，屢走天涯，涉湘、漢之險，攬武林吳會之勝，碌碌言旋，療飢無術，乃藉是書以自娛，自媿且自哂矣。康熙壬子正月山陽彭頤觀吉氏題。」

謹按：府縣志皆未為彭頤立傳，而藝文中則咸著錄是書。今據是書，知頤字觀吉，康熙時人。所列參校諸人名，有受業張轂。轂乃力臣弟，則頤之時代輩行可知矣。自序謂尚有禮記題解一書，今不可考。肄雅錄謂頤清江浦人。清初，清江浦未隸清河，故序稱山陽也。書中於曾子問等喪服諸篇，皆闕不解，以當時功令，不於此中命題也。

中庸、大學裁出單行，列為四子書，且有朱子所為章句，故亦從闕。其注解敷衍大義，別無發明。其體例以經文為主，而於字句間增文益字，以證成其說，殊不脫當時講義旁訓等習氣。便於初學誦習，故坊間翻刻者極夥，想見其盛行於世也。要之，囿於舉業，未能免俗耳。

㈡楚州使院石柱題名記跋一卷　清蕭令裕撰　咸豐清河縣志、同治府志著錄　家刻本　抄本

蕭文業跋略曰：「楚州金石世不恆見，有唐石柱，建在郡城節堂。是會昌之字，一千餘歲。歐、趙諸家著錄，悉未暇搜，滌石打碑，始余兄弟，物之顯晦，信有時矣。兄服領多暇，屬寄拓本，鉤貫史文，遂成疏證，援據既精，淹通乃最。後來地志，幸有取焉。道光辛卯夏弟文業謹識。」

謹按：縣志載枚生先生所著書，有清河疆域沿革表一卷、淮榷志遺二卷、寄生館集十二卷、並及此跋，凡四種。余既從徐潄丈許假得沿革表，錄而藏之，又見此跋，因並錄存。楚州石刻以會昌題名石柱為最古，而諸金石譜錄無載之者。吳山夫山陽志遺，亦不詳晐。至蕭氏始拓而考之，其後山陽范以煦亦有撰著，上虞羅氏為其刊布。余求之數年，未獲，未知與蕭氏何如？頃讀湧翠山房集，知黎川黃峴亭別有考訂一卷，踵蕭、范兩家後，當更有補苴精進之語。未審有無傳本，區區一石刻，而考者三家。子上先生謂「古人不苟且一官，人亦樂考其家世。後世官民相疾，去則恐人指數，故無復有刻石者。」其語可深長思也。

㈢惜餘春館詩集十卷　聞溥撰　前志未著錄　手稿本　又節抄本一卷

段朝端序略曰：「余年四十即知清河有聞君潄泉，才藻豔發，倜儻不群，振奇人也。乙酉選貢生，不數年雋秋闈，兩試春官不第。大挑得知縣，分陝西，將出而從政，因事不果，而君亦垂垂老矣。余兩人相交以心，未獲奉手，故人吳溫叟為通兩家之郵。值國變，君富幹濟才，銳欲有以自見，鬱鬱無所試，不得已，哦詩作畫以自排遣。庚申十月以詩草丐序，余不文，何足以序君，且君之才之學，尤非詩所能盡。顧念相知數十年，至各老大，而始獲良覿，環顧斯世，各有難言之隱，尤非五、七言所能通其結轖。君詩才力富贍，詞氣溫雅，記述時事多沈痛不可卒讀，於少陵道州為近。余以垂盡之年，獲一詩敵，足慰生平向往之誠，其尤可幸也夫。癸亥孟冬淮安八一翁段朝端謹序。」

陳懋森序略曰：「乙丑秋九月，吾師艾叟聞先生，自淮陰兵間，以乞羅來揚州，手所著詩見示，並命為序。先生少作，悉屏弗錄，今所存者，皆戊戌後作，而以感時撫事者為多，其憂也深，其思也遠。昔淵明、少陵所遭，並極不幸，禾黍之感動於中，口不能言，一寓於詩。慨自辛亥以還，干戈不靖，且十餘年。以視晉、宋之際與唐天寶之亂為如何？先生以道自重，澹於榮利，植品既峻，斯陳義自高，故其詩念民勞板蕩，而兼有匪風下泉之思，所謂古之傷心人也。先生之詩，段翁笏林評論已詳，因不復贅。而就立言之體，與憂世之心，抉而出之，以告後之讀先生詩者。門人江都陳懋森再拜序。」

㈣南清河縣太陽高弧晷景表一卷　龔穉撰　續志著錄　家刻本

自跋曰：「謹案南清河縣北極出地三十三度三十七分，極距天頂五十六度二十三分。表中黃赤距緯，敬遵我朝考成後編測定，大距二十三度二十九分入算。宣城梅氏定九謂正餘切線當加減太陽半徑，為揆日最精之理，不可不知。故於橫直晷景皆依法加減太陽半徑。列數與張丹村氏高弧細草小異。彼蓋專為對表，倒直互變而設。至其揣籥續錄中所具表景，固仍從加減之例也。衍算既畢，聊備自須。以同人慫恿，迺妄付剞劂云。光緒十有七年，歲在重光單閼，月在圉壯，日躔壽星之次。里人龔穉壽秋甫誌。」

謹按：龔氏為吾邑明算之士，父裕雖貴，而獨守儒素。常掌教邑中書院，後進治曆者，多出其門。此表為天文候簿之一，專記太陽高弧晷景。冬至夏至為日短至長至之時，故各立一表。餘節皆兩兩相麗，若春分之與秋分，立夏之與立秋，則合為一表。凡十三表。表分五格，首午前時刻，次太陽高弧，次直表晷景，次橫表晷景，次午後時刻。高弧記至秒位，晷景記至厘位。據龔氏跋語，殆由推算而得，然亦當有實測以為徵驗，否則將無所準矣。倘全國各縣皆有人從事茲役，則天行有常，不難一覽。而其有功曆學為何如哉！龔氏別有南山陽太陽高弧晷景表一卷，體例全與此同，行篋未攜，姑從蓋闕。

㈤甦餘日記一卷　清蔣階撰　前志未著錄　手稿本　又吳氏抑抑堂選刻本

段朝端序略曰：「後己未閏七月，吾友吳溫叟以清河蔣升之萃科甦餘日記摘本見示，蓋道光九年己丑迄癸巳五年之作。雖隨筆記載，而徵文考獻，遺文軼事，多可動心駭目。如左雨香之多才、盧涵九之耆學、高鐵夫之官跡，陳春臺之隱居、吳古音之浩氣高吟、方上人之釋名儒行，皆足深令人仰止。時萃科主講漁溝臨川書院，歲比不登，水潦暴至。本鎮吳氏諸老先生好行其德，出巨金賑之。萃科親見其事，詳述當日情形，足補志乘所未備。萃科與蘭岑先生為石交，初聞其沒，為位而哭；既審知其非，白門握手，喜心倒極。愛才若命，性情之肫摯，不誠加人一等哉！先輩每有日記之作，其中雅俗雜陳，誠有榛楛勿翦之嘆，後人多棄之。今此冊於廢蠹之餘，得溫叟精心抉擇，精華畢露，鄉邦諸先達，零璣斷璧亦與之俱傳，溫叟之心於是大慰。而余於垂盡之年，獲覩斯製，又未嘗不自幸已。

淮安七七叟段朝端書於葉打庵。」

謹按：升之先生撰有七指山人類稿，咸豐縣志著錄，未刊，今未審存佚。先生善書，以楷法有聞於當世。二十餘年前，余嘗從邑中陸姓家見先生手寫日記七，八巨冊，字跡挺秀，不愧名家。特蕪瑣太甚，誠不免虀鹽簿之譏，置之考證掌故，均無可取。今延陵所輯刻，雖甚簡短，皆可觀覽，比之披沙揀金，有功蔣氏甚大。聞之陸姓謂原有數十冊，戚鄗分攜，零落殆盡。延陵所錄僅五年事，殆所見亦殘闕之本也。倘藏有餘冊者，亦同延陵所為，精心選輯，則零璣斷璧，又奚止一卷而已。先生既以善書著，如能選一二冊，以手稿付諸影印，存其真蹟，不尤善歟？蔗叟序作於己未，即民國八年也，而文中稱為「後己未」，「後」字未知何指？豈效法淵明耶？異已！

余發願考訂本邑藝文，冀以彰顯先賢之盛業，限於見聞，殺青有待。而體例大端，未嘗不具。前在邗上，略撰提要數首，時類錯雜，毫不序次，蓋將俟成書之日，重釐定也。又所舉諸書皆非上乘，似淮陰無他佳作者，其實非也。若都尉、右史，彪炳史冊，固足為一邑之光，即龜城遺集，節義昭然；老子山樵，發人神智；蒿坪之易、椿園之數、孫氏之琴、小史之詩，雖置諸文勝之邦，亦何所媿。今皆未及登載者，徒以取攜之便，尚未及論上列諸書，非有意為之先後也。又若枚、湯、蘇、孫諸公之作，已別撰專篇，載在本林，茲即從略。右史遺著尤多，亦將別為考訂，不列於此。余懼讀者不諒，疑拙作之漫無體例，故復具陳其區區云爾。二十四年八月一日伯子記。

㈥張亟齋遺集不分卷　清張弨著　望三益齋刻本

丁儉卿序略曰：「吾鄉張力臣先生修學好古。顧亭林答汪苕文書云：『精心六書，信而好古，吾不如張力臣。』力臣以順治七年辛卯補山陽學諸生，與閻百詩徵君同歲入學。亭林集有寄淮上張文學弨詩，近刻漢學順承記，謂『力臣隱於賈，受業於顧亭林。』案：力臣名在橫舍，未為賈人。於亭林為後學，亦不聞執贄崑山也。朱竹垞明詩綜錄符山堂詩，惜不得力臣詩附其後，余訪求遺書數十年，耆舊故家，絕無傳本。今所見者，昭代叢書有唐昭陵六馬圖贊辨、瘞鶴銘辨、全榭山鮚埼集有妻機漢隸字原校本。吾友許印林孝廉瀚寄余濟州學碑釋文，康熙中力臣同亭林客濟州之所作也。同里阮明經鍾瑗贈余廣州書跋力臣寫本，前有張氏圖記，書法遒美，閒綴評語，辨論極精。憶庚寅七月晦，於淮陰市上得見力臣棧行圖小照，貌癯古，有微鬚，因售者索價昂，信宿持去。猶幸錄棧行諸作，入余所著山陽詩徵，皆竹垞所未見之詩也。力臣校詩本音附注，有詩正字，余求其書，卒不可得。淮安志文苑稱力臣書皆散佚，余特捃摭遺集，藏弆篋中。漕帥吳仲宣先生，見而韙之，命梓以傳。印林校讎，並附於後。同治三年山陽後學丁晏謹序。」

謹按：力臣，名父之子，世其家學。尤耆吉金貞石，偶有聞見，不遠千里，手自響拓，考證詳覈。當時學者，如亭林、漁洋諸公，莫不心折，老而窮困，斥其所藏殆盡，遺著零落其以此耶。柘塘老人搜輯於散佚之餘，編為斯集，非其全也。集中所載有濟州學碑釋文、瘞鶴銘辨、唐昭陵六駿圖贊辨，皆金石考訂之文字。棧行圖詩，則力臣詩之幸存者。至他人論述力臣之文，編諸卷末，為附錄。榭山所記漢隸字原校本一文，雖載力臣語，終非力臣原作，應歸附錄，乃列諸本集，似誤。除家詠春別搜得遺詩數首外（見淮壖小記），力臣著作，具於此矣。柘塘老人輯錄鄉里遺文甚多，枚都尉、陳孔彰等集久失傳，雖有輯者，皆不及老人之備，其表揚鄉先進之心甚盛。亟齋之作，尤在若存若亡間，不有此輯，益將湮沒不聞。然迄今未及百年，而求之已難得，世亦有好事之士耶，重刊流布，不可緩已。

又按：濟州學碑釋文自序曰：「癸丑歲同東吳顧亭林先生出都，恭謁闕里，既搨諸碑，便經濟州，又各得數紙；嗣是奄奄至老，偃息家園，凡十七載。己巳春北行，檥舟南池之岸，攜兩兒一孫，急訪諸碑，盤桓三日。以皤然一老，撫摩審視，督施榻具，不禁大笑稱快焉。仲夏抵阜，淹留三秋，入都更搜諸書，纂成一卷。以漢碑五通居前，以唐橋亭記次之，以黨書王詩並和韻附之。」是力臣訪碑與亭林相偕，而其考訂文字，則在二十年之後。丁氏序謂與亭林同作，似誤。所謂漢碑五通者，一魯峻碑、二北海相景君碑、三武丞碑、四鄭固碑、五尉氏令碑也。洪氏隸釋誤引他碑為魯峻碑陰，翁氏屬黃小松親至濟學手拓其陰。不知力臣已於清初拓而考之矣。畢氏山左金石志謂力臣誤釋「棣真」為「肆真」，王氏金石萃編又謂力臣誤「肆」為「肆」，不知力臣本作「棣」。蓋濟甯州志載力臣釋文，誤為从手从聿，畢、王二氏誤以濟志為力臣原本，妄致譏耳。惟畢氏引說文釋弸為彊毅之性，足正力臣「弸」即「崩」之誤。景君碑漫漶已甚，力臣所釋，亦有誤處。如碑陰有云「三載已究」，力臣釋為「三義五究」，畢氏山左金石志已糾之。此不可不知也。

丁氏此輯於力臣本文外，別錄顧南原、許印林兩家校語，凡低一格者是也。尉氏令碑殘闕尤甚，力臣亦無所考訂。故附錄顧氏語尤夥，此由濟甯潘氏初刻時增入。印林校語，則又丁氏新增，皆非力臣原本。亦讀者所不可不知也。
又按：顧亭林金石文字記曰：「瘞鶴銘在丹徒焦山下，淮陰張召以丁未十月，探幽山下，復得七字云。惟甯之上有厥土二字，華亭之上有爽塏勢掩四字，其右題名徵下有君字。皆昔人所未見。」又四庫全書提要云：「弨親至焦山搨原銘，較宋黃長睿董逌所載者，多得八字，所辨亦較顧元慶書為詳晐。」是考訂鶴銘之文字，自以力臣此辨為定論。蓋由親拓所得，益以舊文，繪圖立說，至塙不易。謂為『詳晐』，不虛也。文末致意於重立原名，冀還舊觀。其後陳鵬年滄洲募工挽曳，得以重立者，凡五石（力臣訪碑，在康熙六年丁未，滄洲立石則在五十三年甲午，相去四十餘年）。毋亦感於力臣此文興起而為之耶。汪退谷瘞鶴銘考，雖稱詳備，然仍以力臣之辨為主，王氏萃編亦爾，世之考鶴銘者當折衷此辨也。丁氏輯本據昭代叢書，別增孫如僅、許槤、許瀚、劉履芬四家校語，低一格，與前釋文同例。」

㈦讀詩考字二卷補一卷　清程大鏞著　家刻本

原序略曰：「古人用字，率用通假，形聲之異，莫之或拘。故同此一言，在本經為此字，及他經引用，復為彼字。大鏞幼習經訓，尤愛毛詩，性鈍未能會通其義。第於群經引詩，而字有不同者，彙而別之，於鄭箋改字，文字攸殊者，部而分之，於釋文所引韓詩說文字體歧出者，析而列之。為四書引詩第一、左傳引詩第二、禮記引詩第三、孝經引詩第四、爾雅注疏引詩第五、鄭箋改字第六、鄭箋異讀第七、鄭箋徑改經字第八、鄭箋用義訓改字第九、鄭箋改正毛詩第十、韓詩異字第十一、說文異字第十二。」

原跋略曰：「先君子潛心經訓，參互蒐考，至老不衰。著有毛詩地理證今、中星考異、叢桂軒駢體、叢桂軒試帖、叢桂軒賦鈔以及此編。唯試帖及此編已付梓人，餘俱未及刊刻。庚申歲匪擾浦垣，不肖兄弟倉猝避亂，未遑攜出，寇退搜尋，率多散失。證今、考異兩書皆亡其首卷，是編刊板亦亡五、六，諸兄方謀補苴，而相繼淪亡，不肖展閱遺編，實深悚懼。謹將是編先為補刊，知不足贖愆尤於萬一也。光緒十三年冬男人鵠謹誌。」

謹按：吾邑程氏自師典公以來，三世傳經，各有著述，乃皆以諸生終，未能大昌其學，豈君子之澤，積久而彌光耶？抑五世而斬天道固不可知耶？亦可唏矣！韻生先生，師典公之子也，所著尤多，遭亂散佚，即其殘存，亦祕錮覆藏而勿出，雖欲彰顯，末由也已。

此讀詩考字一種，昔已刊行，世之藏家，尚有其書。又匿板不印，故求之坊間，亦殊難得。詩自漢興以來，裂為三家，毛詩晚出，獨傳於後。其間大義訓詁，各有不同，至於文字固殊焉。先生就經傳所引異文，臚陳比較，而四家歧互之故，可得而證矣。其卷上之小引曰：「以遏徂莒之莒，毛公本之為地名矣（原注毛不改字仍作旅）。瞻彼淇澳之澳，陸氏據之為水名矣（原注毛詩作奧）。菉竹猗猗之菉，韓詩依之為草名矣（原注毛詩作綠）。因字異而作新說矣。」此由異文而求得四家之源也。

先生於四家無所倚重，故不偏主毛傳，而以鄭氏為宗。以為「鄭學奧博，其箋詩也，釐傳義之隱約，欲強同而不能。因旁本三家，及他經傳，以正其音而辨其字。且當時別本甚多，彼此互異，擇善從焉。茲為類厥文詞，區之為五，略加考校，用泝所由。」故先生此書於鄭箋致力尤多，援引辨證，幾及全書之半，亦可知先生宗旨之所在矣。關雎，君子好逑，箋云，怨耦曰仇。逑仇異文。先生引釋文禮記漢書文選證詩本作仇，後人私改作逑。玄鳥，景員維河，箋云，河之言何也，正義祗從文意立說。先生引漢書天文志河鼓，爾雅作何鼓，證河何古通。皆確切足以申鄭。先生生嘉、道樸學正盛之時，其考證精勤，亦何遜同時諸子，而聲名不出州部，豈真有命耶！抑闇然自修，不求聞達，恬澹高懷，有致然耶？先曾祖春城公、恆存公，與先生為中表。先生撰此書時，曾與之商訂體例。又有宋楚卿上舍寶善，當時名宿，亦相與討論者也。想見當時學風之盛，緬懷前人，為之神往。

(八)丙午水荒罪言一卷　程人鵠著　鉛印本

自序略曰：「國家財政所關，莫切於興養，尤莫重於備荒，有備則水旱無虞，民命可保。乃或有備而卒不足恃，至於與無備者同稽其弊，不外於中飽，中飽而畏人知，猶可言也，至於互相掩蒙瞻徇，勢乃無如之何矣！清邑豐濟倉重建於張文達公，而擴充於歷任諸漕憲。蓄儲至鉅，足以賑災。歲在丙午，水潦為災，邑之四境，飢黎嗷嗷，自夏及秋，未聞興廢，某乃檢倉志，計所儲，而以賑濟請。時上之人未嘗責其言之妄、數之浮也。惟是緩之以稽查，需之以核算，雖再四請，亦再四以是應，卒之災黎仰各方賑務，幸獲生全。而款之出於斯倉者，雖不能得其素蓄之二、三，由是歷年所儲，遂昌言罄盡。吾人屬在草茅，但求閭里烝黎，免於凶歲，足矣。公家儲積，敢勞旁參，顧念舊藏雖罄，倉產猶存，緣是更以善圖其後請，乃上所以緩之需之者，仍如故也。而以斯倉為窟穴者，甚或蒙蔽把持敗壞之。爰取累上之書，彙而刊之。遍送城鄉，俾曉然於斯倉之興廢本末，庶後有實心為民者，得繼是以請，求所以規復之、永保之，無難也。光緒丁未冬袁江逸叟程人鵠序。」

(九)南清河肄雅錄八卷　清萬鏞編　馮昶、王錫齡、程人鵠等續編　原

刻大字本　續刻本　補刻本

自序略曰：「嘉慶戊午余館山陽，見新梓山陽肄雅錄，俙然曰，吾縣亦不可以無是。然卒以故老無所藏本未備，且分撥疆土未久，不能不有待也。嗣得里中劉氏本，河北周氏本，並盋池山王氏所鈔山陽及分縣後本，一總庋入巾笥。三十年湖海浪遊，未嘗一日忘。是編文字近官寺之題名碑，而為用直比於史書之表與志。況吾縣佤合新舊，文缺有間矣。即先後所求各本，尚多脫落。去冬同志王子浩趣余，余遂發篋付之，屬其別擇，並查學檔，補綴於後。抑余更有說者，吾縣志於乾隆庚午纂修，迄今八十年，河淮載更，耆舊不作。有賢士大夫惇典獻民，上作而下應，是編或吾縣修志之嚆矢，則小子之所欣幸而跂望者，豈有際哉。道光九年縣人萬鏞撰。

謹按：是編不以事辭勝，而一邑文獻所關至鉅。故松巢先生自序，以為比於史書之表志，又以為將來修志之嚆矢。厥後魯氏重修縣志，其貢舉一門，完全取資於此，先生之所欣望者，可謂達矣。後數卷依案鈔載，似非難事。而先生創始之時，搜輯至艱，雖有劉、周諸本，皆脫落不完，難為依據，故前後經歷三十年之久，同志多人之敦促，乃克編成，否則咸豐修志，亦將有無徵之嘆，先生之功亦偉矣。而邑人士乃無有知而稱道之者，何哉！是編一、二兩卷，皆據舊本，彙載諸人，不分年代，所可知者稍注一、二而已。三卷及五卷，皆依按照錄；四卷最少，則分縣後所撥清江浦人也；六卷以下則又後人所續；凡其人後得廩貢或舉人進士者，以圈點為識；其他仕蹟學術，有應表揚者亦分注各人名下；足補縣志人物之未備。其載在縣志者，只注明有傳，又不啻縣志人物之目錄。章實齋嘗謂縣志應立人物表，以位置不必立傳之人。若此編者，其為用正同。易代以來，所不能遽廢也已。

㈩瘦吟詞一卷　清許淑慧著　陳氏刻本

陳筠序略曰：「瘦吟詞，許氏女定生遺稿也。定生，青浦人，適夫而寡，歸而養母終。節孝人也。蓋其內之憂愁憤悶，茁茁不可遏，發之於言。境彌苦、情彌真，有不知為文賦詩詞者，乃未幾所刻之集已散大半。余少時錄得詞一卷，因為刻之。光緒四年吳郡陳筠序於淮陰之寓舍。」

謹按：咸豐志列女，「廣東知縣鄭海門繼妻許氏，名淑慧，字定生，青浦人，監察御史寶善之孫女。幼時母胡授以琴書詩畫，皆盡其妙。適鄭二月而夫亡，誓以死殉，母多方勸喻。屬鄭氏家中落，道光初母胡授書南河節院，淑慧隨侍，長齋繡佛，間為詩詞，寫生花鳥，精妍澹冶，名動一時。年四十五歿，葬於來鶴寺前。著有琴外詩鈔。」有刻本，今不可得。此瘦吟詞一卷，陳湘衫於散亡之餘重為刊行者。湘衫先世即居淮陰，為寓公。湘衫亦善詞，侘傺以沒。吾邑詞人甚少，女子能文者尤鮮，許氏雖流寓，烏可不著錄哉！

(十一)龜城叟集一卷　龔開撰　冒廣生輯　附錄一卷　冒廣生輯　楚州叢書本

高士博學好古，邃於經術，閒為詩文，皆清勁古雅。而生當桑海之際，以遊戲翰墨自隱，久之，而所著述遂散佚，無輯錄之者。冒氏任淮上榷關時，刊楚州叢書，因裒錄高士遺文，彙為一卷，名之曰龜城叟集；並集諸家記載高士事者，為附錄。可謂風雅好事之士矣。所徵引者，如鐵網珊瑚以下凡十五種，益以冒氏所藏高士墨蹟一種。凡得詩文五十九首，雖非高士著作之全，亦可聊慰思古之情，特其編纂先後頗凌雜，又無序例，莫能闚其用意之所在。詩與文既參錯互見，又如中山出遊圖之詩與跋分在前後兩處，此或可委為非一時所輯得。然如題大令保母帖之詩與序，同在四朝聞見錄；宋江三十六人之贊與序，同在癸辛雜志續集；亦不比次，何耶？其所據之書有非本原者，如陸君實傳、輯陸君實輓詩序，皆據淮安藝文志。此乃近代人書，當別有所據，此竟未能考知之也。又有引他書而刪削過當者，如吳萊桑海遺錄序，甚長，此刪存十一耳。又王鏊姑蘇志尚記有畫中人物情態，此亦刪去，未知何故也。

高士所撰，以文、陸二傳為有名，說者「以為類司馬遷班固，陳壽以下所不及。」別有趙康州傳，今趙傳不可見。文、陸二傳均見宋遺民錄中，冒氏僅從淮安藝文志中轉錄陸傳，而文傳竟闕，似未見宋遺民錄者。實則此書刊入知不足齋叢書，非孤僻之本，且冒氏已採有續宋遺民錄，何竟並程氏原錄而遺之耶？皆不可解者。其他字句之間，以宋遺民錄校之，亦頗有異同：

題自寫蘇黃像，「人之龍文之虎」上，錄闕兩字，此漏注。又「非叔敖身後之」下，此闕兩字，錄不闕。題昭陵什伐赤馬圖，「羸得金創臥帝闕」與第一句闕字韻複，錄作「臥帝閑」。輯陸君實輓詩序，「是故大中之道也」，錄「故」作「固」。又「其亦庶乎其可也」，下錄多十八字，「詩無先後，至則登載，惟公出處大略，已見鄙文。」序尾錄多九字，「二十八日，淮陰龔開序。」冒氏輯此序，本之淮安藝文志，殆經獻南之刪定耶?中山出遊圖跋，「譬之書猶真行之圖也」，錄作「猶真行之間也」。陸君實傳「避地南東」，錄作「避地南來」。「機無不舉」，錄作「職無不舉」。「淮安東路」，錄作「淮南東路」。「制臣領赴闕」，錄作「制臣令赴闕」。「或謂僕合疏一傳」，錄「合」作「盍」。「吾郡以忠孝忠死節有趙公相望」，錄於「趙公」下多十六字。「師旦，至行有徐節孝先生，今吾君實，得與」此全脫去，竟不可解。「豈有媿於節考」，錄作「寧有媿於節孝」。此類皆以宋遺民錄為善。冒氏所據殆是傳寫誤本耶?吾鄉不乏汲古之士，倘就冒輯，更整齊之，庶幾高士遺文，得有善本可讀矣。

(十二)柯山詞一卷　宋張耒撰　劉毓盤輯本　又趙萬里輯本　又唐圭璋輯本

謹按：蘇門四學士，惟右史不以詞名，所作特少。今所傳右史集，以七十六卷本為最備，亦不載詩餘。馮刻宋六十一家詞，北宋得二十三家；朱刻彊村叢書，北宋得十六家；均無柯山詞。右史之詞，殆不為世人所注目久矣。即右史亦自稱不善為倚聲。然其論詞：「主天理之自然，稱心而發，肆好而成，不待思慮而工，不待雕琢而麗。」是於樂府之甘苦，未嘗不知之深切也。又嘗譏「賀方回好學能文，而惟工樂府，若有所不足者。」則右史之於詞，非不善也，殆不為也。宋人所輯詩話、筆記，往往載右史詞，雖不甚多，亦可窺見大概。胡仔謂「味其句意，不在諸公之下。」茲可為右史詞品矣。近人輯錄者，有劉、趙、唐三家，凡得：減字木蘭花、秋蕊香、少年遊、鷓鴣天、滿庭芳、風流子等六首。又斷句若干條。詞統所引有阿那曲荷花詞，斐雲謂是七言絕句，不復闌入。右史之詞，殆盡於此。他若前人論及右史詞者，亦不少概見，倘能比輯其語，與此合為一編，亦可補柯山集之未備也。」

㈢八劉唐人詩集八卷　劉青夕選　咸豐志著錄

咸豐志曰：「內府藏本題曰：『淮陰劉青夕選。前有康熙癸未李翰熙序，稱青夕嘗有唐詩十三家之刻，又輯為此本。凡劉乂、劉商、劉言史、劉得仁、劉駕、劉滄、劉兼、劉威八人云。』」

謹按：劉青夕所選唐詩凡三種：一、十三唐人詩選。二、八劉唐人詩選。三、青夕選唐詩。所謂十三唐人者：姚合、周賀、戎昱、唐球、沈亞之，儲嗣宗、曹鄴、姚鵠、邵謁、韓偓、杜寬、孟貫、伍喬也。青夕選唐詩中則廣至五十七家，前十三家亦並載焉。而八劉中之劉滄亦廁在五十七家之列，餘七劉則未互見。其體例皆不甚可知，大抵皆中晚唐人耳。三種中惟八劉唐人詩，四庫存目，題淮陰劉青夕選。咸豐志所謂內府藏本者，殆據此也。今按三書序跋所題署，或稱淮南劉子青夕，或稱淮南劉云份，或稱邗上劉子青夕，其為揚州人無疑。稱淮陰者，猶言淮南耳。咸豐志闌入本縣藝文，茲從盋山圖書館獲見原書，因得糾正其誤。惟志中沿載已久，未可徑削，仍存其目，而附以辨正云爾。

㈣續東軒集三卷　高均儒撰　原刻本　續志著錄

吳稼軒序曰：「子思子告申詳之言曰：『有龍穆者，好飾美詞說，天下之淺人也。』顧亭林曰：『學者一號為文人，則無足觀矣。』夫文以載道，曰淺、曰無足觀，則有文不如其無文也。伯平力學自修，欲以體道於身，而不欲著聞於世，故不喜為文，不得已而有文，則質實簡淨，適如其為人之孤隘焉。飾說之是恥，而肯逐隊於文人之列哉？

茲將所著分為三卷。上卷文，可以覘其自少至老，貧悴流離，確然不移之節；中卷詩，率多患難之作，坦夷似陶靖節，倔強似韓昌黎；下卷策問，則課徒之作，聊以見其學之一斑而已。不可以悅目，而可以動心。然使世之號為文人，以古文詩為贄為刺，驅走於聲利之涂者，取是編而讀之，或可廢然返爾。則是集又士人之藥石哉！吳昆田序。」

謹按：均儒字伯平，閩人也。其父宦遊浙江之嘉興，因家焉，故又為秀水人。先後為楊至堂、吳勤惠校刻書籍，寓居吾邑甚久，乘老乃返杭州。當居淮時，與魯通甫、吳稼軒諸公過從至密，其子行篤，且贅於吳氏，誠吾邑之寓賢，願引之以為重者也。集中多論修養、論校勘之作，其關地方掌故者甚少。惟茶庵記，可以見釋廣達之事蹟，足備志之未備，他不見也。集中「茶」作「荼」，蓋小學家謂古無茶字，徑以荼字代之，不失校勘家之風度。大抵其文質簡而孤隘，其詩坦夷而倔強，稼翁所言，非虛美也已。

(十五)墨表四卷　萬壽祺著　吳興吳習隱手鈔本　黃蕘圃刻本　前志未著錄　今補

自序曰：「嗚呼！大文舒矣，玄德孔固。黃帝以來四千餘年之間，書契既往，漆刀咸謝，漢興，隃麋始進。代降而後，天命神靈，龍賓出焉。地不愛寶，石墨產於女床之山。嗚呼！豈不盛歟！奚氏南竄易水，興於新安，家擅綠蛾，人握玄珠。世勢趨今而下，才法踰古而尊。考其大凡，可得而論。南唐北元，歲遐則寢，道失斯擯，咸無足紀。自宋及今，人以世次，墨以代升，考者不可勝窮。而有楚乃拔，爰成斯編，以次條式。嗚呼！追古人之不作，懷風流之僅存。學墨之道，出於大儒，守墨之心，是用小割。」

跋曰：「馮盛與盧杞相遇於道，各攜一囊，杞發盛囊，有墨一枚，杞大笑。盛正色曰：『天峰煤和針魚腦入金谿子手中，錄離騷古本；比公日提緩刺三百，為名利奴，顧當孰勝？』已而搜杞囊，果是三百刺。蓼龕以豹皮跗槖，提古墨數十，日夕枕臥其側。梅花春雪，菊蕊秋霜，觀其意思蕭散，若了不關人事。雖晉人之癖自謂過之，不獨與馮盛遠驅先駕也。然先生累墨不止此槖，試天乳之水，踞黃庭之榻，日有臨摹，而此槖則將與劫灰石墨，並重璆琳，墨表之所為作也。恐永無磨試之日矣！道人笑謂先生曰：『子瞻云未知一生當著幾兩屐？吾有墨七十枚，而猶求取不已。石昌言蓄墨，廷珪墨不許人磨。』或戲之云：『子不磨墨，墨將磨子。』斯言雖小，可以喻大。先生盍散此墨，流傳人間，不則日磨數斗，吞咀墨筆。

施以絹楮，以發其山川光怪之氣乎？不然，則李公擇見墨輒奪，道人亦不免古人習氣矣！』墨者壽道人漫題。」

黃蕘圃後跋曰：「嘉慶丁丑初冬訪松門於吳涇橋，出萬年少墨表托付剞劂曰：『此鮑丈淥飲遺物也，余梓之以竟彼未竟之志。』遂攜歸付刊。因思向年曾於張白華家，見萬所畫祭硯圖，筆墨古雅，令人愛絕；今又讀其所著墨表，余於翰墨因緣，抑何深耶？戊寅春分後四日蕘翁記。」

謹按：年少以明季遺老，入清不仕，流寓吾淮南村及隰西草堂之遺址，猶依稀可見。所著詩文集已著錄咸豐縣志，墨表一書，佚而未載。頃從徐丈漵鷗處，得見黃氏刻本，硃印爛然，至可愛玩。蕘翁校印諸書，均精善；此以吳氏鈔本摹刻，尤稱上乘。書凡分四卷，卷約六、七頁，益以序跋，僅二十八頁耳。一卷為序例、二卷為目、三卷為墨式、四卷為墨論。凡著錄之墨百又一十。自宋迄明咸備，而嘉靖、萬曆兩朝所收尤多。朱子所製升龍一丸，其式圓長，名賢製作，磨而不磷，雖不得廷珪墨以為冠弁，得此亦足為全書生色。明代墨工，若新安方氏、休甯邵氏、歙縣汪氏，皆世濟其美，此製墨之所以日益佳也。

我國學士大夫莫不留心翰墨，故管侯客卿講求尤為精好。惟毛錐易蝕，未聞傳世之品，僅存前人製作之法而已。而客卿之性，堅貞如石，蓋以名工所製，百年如漆。傳之既久，愛者成癖，攜囊啜華，視同性命，會心有在，固迥異於俗流也。

萬氏此作，固將為此曹留一重嘉話耶？獨怪萬氏生當板蕩之際，崎嶇道途，畫地指天，乃有暇心，寄此逸韻；因知高士曠懷，非可淺測，造次顛沛，未嘗不從容大雅也。世之志士或以書畫為玩物喪志而斥之，藝人又每肥遁鳴高，雅俗相譏，若終古不可復合者。余觀年少此書而知其不然矣。二十六年春三月三十一日記。

㈥萬氏母誡一卷　萬鏞述　家刻本　前志未著錄今補

自序略曰：「吾於嘉慶丙子孟秋，葺居落成，敬懸旌表門額，志恩榮也。朝廷旌表例，不惟貞節，凡孝子順孫、義夫、烈婦及樂善好施、百年人瑞、五世同堂之類，皆得旌表，給銀建坊。惟節孝關係最重，閱歷多艱，子孫念之，不能忘也。吾族節孝得旌者四。吾母年十九守節，孤兒未彌六月。視族人尤岌乎其殆。不孝年逾五十，祿養需時，深自愧恨。近復負米遠役，來諗作歌。茲當修譜告竣，謹舉平日稟承慈教，墨諸紙本者，采掇為訓。分奉先、敘倫、治己、待人、作事、立言六類。竊亦附以臆說，知我罪我，聽之後賢，豈謂修其家門，以門族相高哉！」

謹按：松巢先生，嘉、道間名宿，所著有十六錢硯齋詩文集，前曾撰有提要載在本林。母誡一卷，舊刊入萬氏族譜中。茲錄出單行，或編所文詩集以公於世，亦可彰母德而垂世教也。先生之母夫人姓蕭氏，同邑人，年十七，歸先生父家駿，未二載，夫卒。時先生甫六月耳，守節撫孤，以孝養翁姑，凡數十年，集蓼茹荼，辛苦備嘗。而先生獲以明經，遊教淮南北，報劉之心，每飯不忘。既集錄諸公題贈為管煒集，又記錄日常訓誡之語為母誡。孺慕之忱，老而彌篤，錫類之孝，播而愈遠。善乎荊溪周濟之言曰：「與在金陵與杏村交，固已樂其溫雅，以為今之士盡若是，則學校之風，庶乎其可以不愧於前王。而因知其奉母夫人之訓，自晬以逮於今，不懈也。惟節母能得賢子，不亦信哉！」先高祖畏堂公題管煒集有句「勞謙家道睦、苦節子心鐫。」皆兼美之詞。今讀母誡，蓋知賢母之實，而信今傳後，蓋有賴夫述作焉。

（未完）

淮陰雜詠（122、123）　**零硯**

丁丑夏，家居，酷熱無俚，懶作湛思。偶翻邑志，溫習舊聞，因剌取若干條，賦為絕句。至於近事，亦並及之，以為消夏之資。既無一定體例，亦不計其工拙，聊供同志一粲耳。七月二十九日記。

當年遊釣困韓侯，千載淮流變濁流。日夕驚河吹不息，空傳秦縣認荒邱。

淮陰故城在舊治東南五里，秦時所建，以韓信傳有「釣於城下」一語知之。說者謂即今之馬頭鎮，考之地望，或不誣也。韓信傳祗云「釣於城下」，未云有臺；受辱胯下，未云有橋。今之臺與橋，其為附會可知，郡城所立，尤不根也。

萑蔘漁歌古渡頭，甘羅遺築對沙洲。行人欲問當年事，不見風鐘何處求。

甘羅城在馬頭鎮北一里，相傳為秦甘羅所築，史無可據。明萬曆時，於甘羅城中掘得古錢二鍾，錢長寸餘，形如風鐘，上有孔，下有篆書，俗呼為甘羅錢云。前人有句云：「人煙棲古岸，萑蓼出漁歌。」可想見其勝概。今則水涸村荒，沙邱起伏，昭見故城遺址耳。

邑小區區似彈丸，卻占形勝枕驚湍。不知何代遺隍古，故老依稀說姓韓。

韓信傳無築城事，今相傳有韓信城，在二閘南。舊志謂八里莊古閘三座，俱在運河內。運河壞，平江伯即八里莊古道疏濬，以通舟楫，是韓信城即在八里莊。而宋時淮陰縣嘗移八里莊，築有新城；今之韓信城，豈其遺址耶？史既不詳，而流俗又以譌言淆亂之，疑不能明矣！

南北華離重守邊，吳家雙壘比金堅。千年重作淮濱鎮，捍禦金源感昔賢。

吳城在舊治西南二十里，大河北岸，有二城，東西相向，中隔五里。相傳吳明徹築。宋高宗南渡置縣，三年罷為鎮，城廢。

亭長何妨唱大風，此公蓐食失英雄。戛羹邱嫂同風範，鄙吝還收激勵功。

下鄉、南昌亭，均見史記淮陰侯傳，今不詳所在。

金城省併是耶非？兩地爭傳靈蹟微。失笑大河堪縱獵，至今猶有角青飛。

金城在舊治北七十里，鷹城在大河口。相傳丁謂曾貯鷹於此，未知何據。

天生巨眼識王孫，雙墓巍巍風雨昏。想見行營高敞地，行人猶說太山墩。

韓母墓在韓信城東半里，漂母墓在韓母墓西，即今太山墩。

豪情七發亦奇瓌，老去分錢劇可哀。少子聲名留日下，只今荒墓委塵埃。

枚皋墓在淮陰故城。按枚乘傳「乘在梁時，取皋母為小妻。乘之東歸也，皋母不肯隨，乘怒，分數千錢，留與母居。」是乘東歸而皋留梁，不應皋墓反在淮陰。豈生不從父，而死正首邱耶？趙嘏詩枚皋舊宅，殆與此同出附會耳。

（未完）

旅中倡和詩一束（58～60）

元旦書懷　須

樓頭急管正敖曹，窗外迷天柳絮飄。元日風光總無奈，少年忠憤宛如潮。
事秦嬴得稱齊帝，上陣何妨假孟勞。苦為盧龍思往事，劉琨畢竟是人豪。

元旦試筆同須公韻　隨伯子

見推衰老笑吾曹，廿載蹉跎夢不豪。篋裡殘叢惟舊稿，眼前澎湃是新潮。
盧龍消息誰能說，金粉東南骨欲銷。開歲情懷無好計，滿天風雲聽刀刀。

范子體健神全，余旅居多疾，作詩釋愁，並簡范子　須

范子范子神仙質，誦墨作篆皆第一。彎弧不發識者希，眼底何曾有儕匹？
賃廡委巷草擁門，看婦梳頭兒弄筆。沈屈不作秋蟲聲，天與之形康且吉。
嗟余作嫁苦多疾，四十離家如譴黜。京口求醫六七回，歸船病眼對落日。
益州故人書不報，鄧林有梅期不出。縱把佯狂壓憂患，平生微志何由畢？

安得翺翔萬里行，盡抛藥囊與書帙。朝對名山一展顏，莫逢舊雨常促膝。

不然我師破虜回，九州一統驩聲溢。區區衰病亦何言？與君晏坐秋懷室。

須公有疾時一發露，而神王氣完愈於常人，醫家謂有物如絲狀居絡間

使人血敗。治之數十日病良已，須公猶若不滿，賦詩釋愁。顧以頑

軀為可羨，因依韻奉和以廣其意。　　　　　　　　　　隨伯子

吾鄉右史富文質，羅胸萬卷貫之一。高談大睨卓不群，英氣拂拂儔堪匹。

餘緒猶將薄聖賢，吐花詎用夢中筆。釋愁說病是耶非，好句賦成凶化吉。

嗟余戾俗首長疾，狂態依人愁見黜。偶攄孤憤似秋蟲，坐對遺編消白日。

濁醪苦茗勸酬難，國難家愁參互出。朔風凄厲橫天來，猶教髦彥呻佔畢。

可食神仙字滿三，自笑痴蟫守窮帙。羨公志作驂鸞翔，我卻何時展腰膝。

追逐蛾眉駕六龍，哀郢文章華藻溢。爾時病已願都償，只覺止止白生室。

前詩勞范子屬和，感其勤厚。會更有新意，爰疊前韻贈范子　須

工愁未敢師吳質，臣年忽已四十一。煉魔無計遣三尸，呼奴送窮差可匹。
春風江水白袷衣，十五年前此橐筆。淹留秪為定文字，嘔心豈獨數長吉。
君家故擅起廢疾，和如展禽忘退黜。長以一幾鬢猶玄，行經萬里東觀日。
神仙豈必遠塵土，點化愚闇時一出。和詩醉我若琳腴，七發能令百憂畢。
方今東海累揚波，丈夫何用開書帙。吾曹說劍推君賢，豈合丹房長抱膝。
會當負戈隨馬首，妖星一掃聲回溢。放翁老去思禽胡，挑燈讀此春滿室。

再疊前韻送須公返淮上　　隨伯子

古來郢匠互為質，運斤斲堊不失一。媿余治墨異惠施，逍遙君是莊生匹。
過江曾看環滁山，又放雪帆呵凍筆。知君乘興壯遊多，佳篇惠我雙魚吉。
回首鄂遊如電疾，弱冠請纓仍擯黜。歸來重發篋中書，憔悴鬢毛非往日。
徘徊揚楚不知年，臥說匡廬終未出。何須亂世尋斧柯，自託陋居遠羅畢。
猶幸傭書獲共君，時聞妙緒勝披帙。學風時事苦壓胸，飛雪載途將沒膝。

雪消冰解送歸舟，詩意歸心兩洋溢。君歸我留可奈何，白鷗遙望淮濱室。

淮陰風土記序（79）

隨伯子

遊無間於大小遠近，要在以有所得為貴。苟無所得，雖山川奇麗，足以謀目，而心放不歸，亦將因玩物而喪其志。若是諸富貴人安居逸樂，思託風雅者每優為之。嗚呼！此何世間耶。民生彫敝至極矣！而羌隴秦陝尤甚。吾意植身西北者，將閔痌無窮，尚何勝之可攬？而鉅公長德，方且繪水摹山、蔚為國光耶？吾不知其於地方真際，果何所得也。嘗讀善長水經注，頗及四方風尚疾苦，千載而下，猶可見當時政教之情。子厚記西南山水，每寓其抑鬱低徊之感，讀其文如見其人，是皆可謂有所得矣。過此者，雖以霞客之壯遊，文字之奇，亦徒豪舉耳，非真能有得於遊也。而近人乃共稱道袁石公之遊記，吾不知石公之遊，果能異於富貴多暇者所為否也？惟亭林生當絕續之際，留心當世之務，足跡徧宇內，每過郵亭關隘，輒訪求走卒販夫，詢風謠阨塞，證諸史志，成利病書肇域志，則可謂有心人矣。

是豈徒以遊記稱哉！秋懷室主人者，淮陰績學士也。性好遊，而體羸多病，乏資，無有有力者為之具舟車。二十餘年中徘徊揚、楚，且讀且教，偶有所往，不越數百里。游踪既隘，遊興固未酬也。少治經國之術，長而無所試用，思箸一書以攄其勃鬱不平之氣。規製宏闊、非一時所能就。每寒燠假休，輒與二、三同志，周行鄉縣間，訪前代湮沒遺蹟，與耆舊之珍聞懿行，而尤留意於生民疾苦、地方應興革諸大端，將以補志乘所未備，而供政教設施所未逮，其用心亦良苦矣。迺者輯其所知見，撰為《淮陰風土記》，二十餘萬言。遊非一時、同遊者非一人，而書中設為主客、詞事相貫。若莊生之寓言耶？而所述皆淮陰實況，無一毫溢美溢惡之詞。視亭林所撰，雖小大不侔、而其可貴則一。與富貴鉅公之壯遊固殊焉！且主人淮士而記淮風，較之亭林以東南一老，偏記四方，自更親切而有味。愚與主人生同里閈，亦嘗留心鄉邦掌故，與主人有同嗜。顧稟賦孱弱、耽於枯寂、冬畏風而夏畏日，是以主人行役皆不能從。主人歸，舉所見聞相詫，則又自恨不躬與、不克同證幽奇。主人既已次第印布所遊：二區、三區、四區、六區等篇，世之讀者固已各有所得。而更歷歲時，事多省併，因復損益舊聞，彙為全帙，以公於世。夏五酷熱，揮汗校刊，每一紙脫板，愚輒得先覩。其記內城外郭、街巷市廛、負販商儈、閭里小民情況，皆愚所審知，莫不逼肖。讀之恍如身在故居，親與若輩周旋。他若湖濱河朔，皆愚所未經行，讀之尤饒妙緒。孰謂原田每每黃沙漠漠之區？一經潤飾，而欣然啟人向往之心。豈必名山大川而後足遊，要在遊者隨處留其心意，則十室之邑，豈無芳草！此遊而有得者所以可貴也。以中國之大，若得千百有餘人，各記其鄉邑之風土，一如此書之用心，則山川能說，固建一統之基。而民隱畢達，尤開郅治之隆。庶幾有此一日耶？亦不負主人好遊之志，與所抱經國之術矣！愚恐讀者不知此書之可貴，而漫與其他優閒之遊記等觀，故為之發其微旨云爾。二十五年夏七月。同里弟隨伯子序於揚州之賃廡。

墨辯舉要（28～32）

隨伯子

晉書魯勝傳墨辯注序云：「墨辯有上下經，經各有說，凡四篇。」約計其數僅六千餘言，而陳義遣詞，卓然獨絕，前無所襲，後難為繼，與天問考工，同為千古奇文。然秦漢而後墨學衰歇，遺書零落（漢書藝文志，墨子七十一篇，今存五十三篇，分上中下三篇者，或不完具，亦有並篇目失之者，詳畢沅校墨子目錄跋）。述者無人，況經及說尤為奧衍難讀。南宋有三卷十三篇之別本（中興館閣書目，陳氏書錄解題，黃氏日抄，所著錄皆此本。樂臺曾為之注，今不傳），即今本之親士以下十三篇，竟並經及說而刪之。則此六千言之奇文，其能流傳至今而未佚者，亦云幸矣！

魯勝謂「自鄧析至秦時，名家者世有篇籍，率頗難知，後學莫復傳習，於今五百餘歲，遂亡絕。墨辯四篇與其書眾篇連第，故獨存。」其推論墨辯幸而未佚之故，甚是，然與名家書並舉，則誤。墨辯中雖亦討論堅白、同異、無窮、無間等問題，然皆平實近情，與惠施、公孫龍等苛察繳繞者不同，且居敵對之地位，烏可混為一談？自魯勝誤合而後，直至近世，多未別白。孫詒讓謂此四篇皆名家言，為戰國時墨家別傳之學，非盡墨子本恉。胡適謂此所言與施、龍相同，當為施、龍之徒所作。梁任公知孫、胡兩家之說為非，然又謂施、龍輩學說確從墨經衍出，經下文字有與今本公孫龍子同者，殆即龍之徒所為。依違兩可，未能確然認清名、墨兩家之界，故其訓釋經文，往往與本義乖違。余前撰墨學通論，嘗列舉兩家學說，一一比對，而其異顯然。庶幾墨義昭然自著，不為詭辯者所蒙，區區之說，有一得之愚焉（通論載在國學圖書館年刊中，茲不復引。）。

韓非外儲說：「楚王問田鳩曰：『墨子顯學也，其身體則可，其言多不辯，何也？』曰：『今世之談也，皆遵辯說文辭之言，人主覽其文而忘其用。墨子之說，傳先王之道，論聖人之言，以宣告人。若辯其詞，則恐人覽其文忘其用，直以文害也。』」夫墨子著辯經，而此云不辯，何也？此蓋兩家用名之不同。墨子所謂辯者：「將以明是非，審治亂，明同異，察名實，處利害，決嫌疑。」（見小取篇）。蘊理宏富，為諸家所不能外；撰為辯經，以詔來學，豈可忽哉！至若韓非所謂辯者，特文飾虛辭，以空言求勝，若世所譏詭辯之流耳，故墨子不為也。今觀墨辯四篇，為三墨所俱誦，奉以為典常圭臬。而墨子又不於文詞求工，故經文簡質，說亦不繁，取足達意而止，所以便誦習、避文害也。若「仁愛」、「義利」、「行為」、「實榮」諸條，簡而明矣，「名達類私」、「謂命舉加」諸條，簡而析矣，「辯爭彼也」、「辯勝當也」諸條，簡而嚴矣，「堅白不相外」、「無窮不害兼」諸條，簡而辨矣，若此者雖謂之明白如話可也。乃二千年來傳習甚稀，幾至湮沒，直至近代，研求者乃轉益熾盛。蓋其立說與儒言扞格，故儒士不能達其意。又簡質精微，不為文人所喜，加以竹帛移鈔，縱衡參錯，遂使讀者目迷，疑為奧衍。實則墨子著書，求便誦習，豈有故為艱深，令人呿口之事？今世海通，卮言日出，學者思想，不復局促一家，舊聞故記，證以新知，而其理益明。研究墨辯者之眾多，殆時為之也。畢、張、顧、孫開其先路，於此四篇尚未發皇，至於曹燿湘、梁任公諸君皆有詳注。其發明道德、政治、教育、經濟諸問題甚多。至光、力諸條，則有鄒特夫、張子高等以物理家言傅合其說，雖未大通，亦頗解其所可解。伍非百、鄧高鏡等又以因明論理之說相印證，尤能使墨辯之理顯露無翳。而後知經說四篇之難讀，不在其文之古奧，而在其義理之精深也。

墨辯之難讀，除其義蘊精深外，字句之間，亦自有難解處。蓋時代相去二千餘年，形義遷貿，在所不免，況秦、漢而後學宗儒家，讀書之士習於儒言，墨辯風格，非所素習，則研訓自難盡通。加以傳寫譌舛，無可校正，付諸蓋闕，殆無奈何。然六千言中可解者多，亦有驟視之下，似難索解，而參互考訂，未嘗不可明白。雖各家辯正，未歸至當，然已非無說者可比。故絕對不可通者，統四篇計之亦僅數處而已。吾人讀墨辯，首當知「經文旁行」、「說文牒經」之例。如經上篇首數語云：

故：所得而後成也。止：以久也。體：分於兼也。必：不已也。

今改還旁行書之，則奇句為上排，偶句為下排。其式如下：

故所得而後成也　止以久也

體分於兼也　必不已也

先讀上排，後讀下排，與說中牒經之字，正相應。畢、張諸公之考訂旁行本，即用此例。諸家之引說就經，以為訓解者，亦莫不借助於此。否則經說華離參互，久失其原，扣盤捫燭，何以著手？惟所舉數條乃其最易知者耳。每條又皆以「也」字煞尾，則離經辨句，固可無用遲疑。然經上七十六條以後，即無煞尾字，其分合已感困難，經下又易以說在某某，屬上屬下皆有問題。如經上有云：

同：異而俱於一也，同異交得放有無。久：彌異時也。宇：彌異所也。聞：耳之聰也。

按通例分排，應成下式（孫詒讓如此說）：

同異而俱於一也　同異交得放有無

久彌異時也宇彌異所也　聞耳之聰也

此類本無問題，而梁氏分久宇為兩條，列在上排。如是上排多出一條，不得已將侗字條移於下排，又與說中牒經之字違戾。此乃梁氏故違常例，別生枝節，轉陷謬誤之處。又如經下云：「一少於二而多於五，說在建位。」位字舊譌作住，梁氏不解，割歸下條。云：「住景二」。又因住字與說中牒字不符，更移住字於他條末，云：「景不徙，說在改為住。」

一字之差，紛紛更易，轉使明白者黤晦矣。故旁行牒經之例雖明，而讀墨辯時，荊棘猶多，此其所以為難也。又如經上：「佴自作也」，「諿作嗛也」，「廉作非也」三條；說云「佴與人遇人衆循」、「諿為是之台彼也弗為也」、「廉己惟為之知其䀏也」；其中諿字、嗛字、循字、䀏字，皆字書所無，雖欲解釋，無以下筆。其他雖非奇字，然以今人所用之義為解，亦復難通；各家多用形譌音轉之例，紛紛改字，牽此就彼，支離附會，終亦無所發明；若此之類，止宜姑置不論。又若經下力學諸條：「天而必正」、「貞而不撓」、「契與枝板」等語，按之訓詁，皆不能確指為何物，古今異名，難於比傅，此亦當在闕疑之科。又有習見之字，而此中作別體者：如知字从心、比字从人或口、虎字同字縣字均从人、鶴字作霍、養傍着隹、㾬字从虎、正作山上二；皆異文奇字，與常用者不同，雖無甚深義，亦足令讀者目迷，苟能明其通例，守而勿失，再以訓詁考證之方術，通其雅故，參以因明論理之新說，闡其義蘊，墨辯雖難讀，亦可知其大概矣。

前人研究墨辯者，以魯勝最古，其所撰墨辯注已佚，猶有一序，載晉書隱逸傳中。雖以墨辯與名家相混，未能區分別白，是其失誤；然能於學者莫復傳習之時，興微繼絕其功有足多者。況其序有曰：「引說就經，各附其章，疑者闕之。」開後來研究之門徑不少。唐樂臺曾為十三篇本之墨子作注，說者謂十三篇即今本親士以下至尚同止；是樂臺亦未為墨辯作注也。自來作者多不究心，或竟不知有此篇目，直至清季畢沅始為墨子校注；經說與眾篇連第，施力尤勤。據經上末條「讀此書旁行」一語，遂改訂經文，寫為橫式。此例既明，涂術大啟，鑽研探討，乃有下手之處，否則治絲愈紊，徒覺望洋耳。然創始之人，難遽收功；故畢氏僅能考訂經上，至於經下即置而不論，張皋文專為墨辯作解，乃能並經下亦寫為橫式。雖其分合上下，未稱至當，而大體既具，所闕者雕琢而已。

至牒經之例，則孫詒讓開其端，梁任公承其說，而伍非百衍為五例。所謂五例者：「一、標目文係重述經文之首一字。二、凡說皆有標目文。三、凡標目文無義。四、不以說之首一字偶同而省略標目文。五、凡標目只一字，無論經文可割裂否，皆不計。」其說可謂詳矣。讀墨辯者當先知此例，而後引說就經，乃有準則；否則任情割裂，意為增損，必致魯莽滅裂，譌謬滋多。惟伍氏所說第五例，標目只一字，則未可信。如經上第三條說「知材」二字為目、八十七條說「同異」二字為目。蓋以經說中論知、論同、論異皆不止一條，先後錯列，易致混淆；故於此改標二字，非自亂其例，亦不過力求明顯耳。伍氏於知材條，乃不得不委為衍文，然又以為變例，亦可通；猶疑其說，莫能自堅。至同異條亦徑標二字為目，知伍氏亦不能自守其說也。「旁行」、「牒經」為讀墨辯者二大涂徑。體例既明，義藴漸啟；加以近來治墨者多，以其專詣，各有發明，墨辯之義，可得而說，非復如昔日之晦昧矣。然標新立異，人之恒情；深求致誤，學者不免。如經上第一條「故：所得而後成也。」「故」即俗說原故之故，事物之成因也，大故者總因也，小故者分因也（梁氏說如此）；其說未嘗不明白易曉。然平淺近人，卑無高論，不為好奇者所喜；故伍氏謂故即故事，亦即古史。小故小史也，街談巷議，如後世所謂小說之類；大故大史也，典謨誓誥，如後世所謂大事紀之類；其說何嘗不恢皇可喜。然按之經說，轉折太多，意在崇高墨義，作此唐大之詞，此深求之類也。又如經下二十一條說「鑒者之臭於鑒，無所不鑒。」此言光理；惟臭字難詳其義，諸家多存疑不解。而張純一謂「臭者氣也。墨子善望氣，以鑒燭氣，莫能隱遁。西京雜記載：秦宮方鏡，昭人腸胃五藏，歷然無碍。即今愛克司光。墨子所為鑒，或亦類此。」此可謂好奇之尤，絕可笑哂。又如經上七十三條說「凡牛樞非牛。」張其鍠謂「樞」應為「區」，別也；言凡牛別於非牛。錢穆謂樞者居中，以應無窮，此物名牛，則有非牛之名，與為對偶；兩解皆通。張說明白易曉，然尚須改字；錢說不改字，而義證亦具；皆有可取。梁氏改「凡牛」為「此牛」，訓「樞」為「渠」，因粵語讀樞為克魚反，與渠正同。言此乃牛彼乃非牛，展轉支離，極附會之能事。蓋其時張、錢之說未出，不得其解，成此笑柄耳。凡此諸端，皆屬小疵，非為大失，偶爾稱舉，聊資歡笑。

有章秋桐者，撰章氏墨學，儼然自號一家之言，而其說奇侅駭說，如入牛角，盤旋偪仄，不可復出，最足誤人，不可不闢。如經下五十八條說「新半，進前取也。前則中無為半，猶端也。前後取則端中也。」中無為半云者，言其中無復可以折半者耳；端中云者，端居於中，不可析也。墨子此條正駁正惠施「萬世不竭」之說。章氏本主名墨訾應，自矜創獲。而於此條乃謂「中無」可為半，「端中」則不可為半；以中無、端中為二名，已覺可笑，又令墨辯兼包兩義；蓋章氏見惠子既主不竭，則墨子自應主不可半；其說又太平庸，不得已兼取兩義，自相矛盾，墨子之義，豈竟如此耶？又經上五十三條「同長以正相盡也。」言兩物大小相若，是即同也；其義明白，何所疑難。王晉卿以「相盡也」別為一條，以為相有盡義；則是爾雅訓詁之學，非墨辯矣。不知與說不相應，上下行列又亂，王說甚誤；而章氏採之，更附會兼愛之說，以為兼愛者盡愛人，其基礎立於相愛相利；墨辯中雖有論難愛利之旨者，然亦非條條皆爾。此條本無愛利字，章氏乃增成其義，而與經說行款全不顧及，說似宏遠，實非所安。經上五十六條「日中正南也」本文甚明，何所致疑？而易順豫校改日字為圜字，圜固有中，然與南北何關？章氏不知其妄，詫為奇確；奇則是矣，確則未也；章氏之說類如此。（別有論堅白狗犬數條，亦致可笑，余前撰通論，已駁正之，茲不復引。）而其辯名墨方行一文，為尤怪。其說實襲自之邢述，邢氏撰玄解，謂「經上八十八條說『中央旁也，論行行行之學也，實是非也。』行行行者三行也，猶邏輯曰三段，墨辯者論行行行之學也。夫三行則三行矣，胡乃累贅其詞曰行行行者，曰，五行毋常勝，以數稱之，後世遂誤為金木水等五行。獨賴此文連疊三行字，讀者雖昧其意，未敢妄改其詞，而真義以存，實是非也者，猶今言推論誠妄。中央旁也者，中央兩旁，明其三行。」章氏曾譏邢書為玄而不解，乃獨有取於三行之說，何邪？章氏每自矜其有得於邏輯，輒以之附會墨辯，往往支離；今邢說投其所嗜，遂不覺喜而惑之耶？行行行一語，誠不可知，然間廁在同異交得諸例中，其不指三段論式，可以斷言；且墨子立名，亦何至累贅如此。五行自指金木水等，毫無疑義，觀說中所解自明，邢氏轉以為非。然則五行者，又將如因明之五支耶？此乃斷章孤義，逞臆妄言，而於經說前後，全不顧及；章氏取之，更益以名家之詞，愈亦支蔓，何其傎耶？近世墨學轉盛，而墨說亦日滋，若此之類，皆足以貽誤後學，不可以不辨。（又如王湘綺謂鉅子即十字架；胡寄塵謂墨翟為印度人；彌為可笑，說既淺陋，易知其妄，則亦無待抨擊矣。）

墨分為三，各有所述，其間詳略異同不一；此獨稱經，異於其他之以兩字名篇者。莊子稱墨子後學俱誦墨經，則此為三墨所共遵；又無子墨子曰云云，其為墨子所自撰可知。（各家對此問題，主張不一，余則認此四篇皆墨子所撰，其中間有後學竄增之處，但亦不多，詳見通論，茲不具引。）故勝聞妙緒，涵蘊宏豐，每一籀繹，心生歡喜；近世治此者眾，雖難不懼者，殆有以也。墨辯精義，非可殫陳，欲窮其竟，則全文具在，各家之解說詳矣。今鉤玄提要，略述梗概云爾。

墨辯上下經一百七十餘條，而專論名理者，凡六十餘條，居全文三分之一；則以辯名經，其故可知矣。今約舉其特點：

㈠施、龍名家，禦人以口給，時甲時乙，意為高下，事理之是非混淆而不明；又若莊周齊物，以為宇宙森羅，本無是非，其見雖高，而遠離於人間世之情實。墨子重躬行，最切實際，不馳騁於邪詞高調，故於是非之辨，再三致意。經下三十三條云：「謂辨無勝，必不當，說在辨。」說云：「所謂，非同也，則異也。同，則或謂之狗，亦或謂之犬也。異，則或謂之牛，或謂之馬也。俱無勝，是不辯也。辯也者，或謂之是，或謂之非，當者勝也。」明示人以是非之辯，此墨子所以為我國古代科學家之一，而非施龍、莊周玄談者所可比也。

㈡爭辯是非，必有準則。苟以空言求勝，雖能持之有故，言之成理，僅能服人以口，不足以服人之心。墨辯中所用以為準則者，何物耶？曰，求其事理之當而已。經上七十四條云：「辯，爭彼也。辯勝，當也。」經下三十三條說云：「辯也者，或謂之是，或謂之非，當者勝也。」前云勝者當，後云當者勝，墨子注重事理之當，可知矣。

㈢至於事理之當否，則於名實同異中求之。經下四十六條云：「知其所以不知，說在以名取。」說云：「雜所知與所不知而問之。則必曰『是所知也，是所不知也；取去俱能之，是兩知之也。』」知墨子之所謂當者，以實不以名。「瞽者不知黑白。」非不知黑白之名，不能辨黑白之實也。故經上八十九條云：「知、聞、說、親、名實合，為。」墨子之於智，不僅知之而已，必也能合名實為一，乃得謂之真知也。墨辯中討論同異尤詳，「法同，則觀其同；法異，則觀其宜。」（經上九十四、九十五條）參伍同異而比較之，謂之「同異，交得放有無。」（經上八十七條）「異類不吡，說在量。」（經下五條）「狂舉不可以知異。」（經下六十四條）蓋辯論事理，莫不於同異中參伍比較，而斷定其是非，乃能得是非之真；其所辯者乃可謂之為當。故墨辯中既示人以辯論之標準，又告人以求當之塗術，亦至詳矣。

㈣世俗常用之方法，而實為辯論所宜戒者，墨辯中舉出若干項。經下二條云：「類推之難，說在之大小。」說云：「謂四足獸，與牛馬，與物，盡異，大小也。此然是必然，則俱為麋。」此戒人之輕用類推也。經下七條云：「假必諄，說在不然。」說云：「假，必非也而後假。狗，假霍也，猶非霍也。」此戒人之輕用比況也。經下三十一條云：「或，過名也；說在實。」說云：「知是之非此也，有（同又）知是之不在此也；然而謂此南北，過。而以已為然，始也謂此南方，故今也謂此南方無南者。」此戒人之輕信舊說也。經下三十九條云：「通意後對，說在不知其誰謂也。」說云：「問者曰：『子知羸乎？』應之曰：『羸，何謂也？』彼曰：『羸施』。則智之。若不問『羸何謂』，逕對以『弗知』，則過。」此戒不思而對，將有郢書燕說之虞也。凡此諸誤，莫不叮嚀告戒可謂諄諄矣。

(五)雙方辯難，志在求勝，己之所主，既得事理之當，則勝敵固為當然之事；然己之所主，未必皆當也。此時自應虛心反省，倘誠不當，亦惟有捨己從人，自棄其主張而已。苟堅持己說，怙過飾非，則乃褊衷之小人，豈得謂之辯求真理之士哉！而世之學者，每犯此病，此學術之所以不進，亦可慨已。墨辯論此極詳。經上九十條、九十二條云：「循所聞而得其意，心之察也。執所言而意得見，心之辯也。」循，順也，順人之言而能得人之意，其本在心之觀察，此言「聽言」之術也。執持也，堅持己說，而能使人共見，其本在心之善辯。此言立論之方也。經上九十三條云：「諾，不一利用。」說云：「相從、相去、先知、是、可，五也。長短前後輕重，援執。」諾者，應也承認也。論辯固當互相駁難，然應承認處，亦不可不承認之。且有姑先承認，漸引之歸己說者，故曰不一利用也。相從者，彼此皆承認也。相去者，彼此皆不承認也。先知者，知其用意所在，則姑諾之也。是者，理所固然，不得不諾也。可者，無礙於我說，亦無妨姑諾之也。此言辯難不必盡居相反之地位，亦有相互許諾之時也。經上九十三條云：「服，執說，巧轉，則求其故，大益。」服者，服從他人之論，自棄其主張也。立說者（執）必窺伺他人閒隙，（說）考之（巧）而不得，則反求諸己。因知己說實有不能自圓之故，則惟有服從他人之說，乃有大益。辯論雖失敗，此實辯者應具之正當精神也。辯論至此，是非已明，無問題矣。至於是非蜂起，莫能相下，彼既迷誤不喻，此亦未甘易說，則將奈何？墨辯中則有一「止」之辨法。經上九十六條云：「止，因以別道。」人之操術不同，不能相強，既難相喻，則辯論亦唯有止於是耳。豈不欲辯哉！當徐俟其圓成也。雖然，既止之後，不可竟置之也，必就其類而求之。經下一條云：「止，類以行之，說在同。」各家解法，於此數條，多昧其義；任意分割，曲加附會，或有疑其譌脫舛誤，紛紛校改，其故皆由於注家以辯者務須求勝，豈可使辯經中載有屈服之義！剛愎固執之私，亙於中；則墨辯之義，何由而明耶？余故於此發之，聊供一得之愚焉。此皆墨經中論辯之大略也。其他道德、政治、教育、經濟、以至光、力諸科，皆有新思妙緒，足資參證；各家論列已詳，茲不復贅。

墨經通解提要（46）　隨伯子

墨經通解四卷，益以卷首卷末，凡六卷，張其鍠撰。其鍠字子武，臨桂人；以政、客佐軍幕，卒死兵間。生丁亂世，懷才思欲一試，而所主非其人，終以自汙累，滔滔者天下皆是，若子武者，其中之一耳！子武既死，遺書零亂，而此編獲存，梁任公為序而行之。子武此書，蓋感於任公校釋而作；其善者即用梁說，否則舉梁說而駁之。

世之治墨經者，前有畢、張、孫、蘇，後有吳、王（樹枬）、曹、王（闓運），其書既未大行，說亦未諦。惟梁氏復出，為精備，影響至鉅。子武之以梁氏校釋為藍本，有以也。子武駁難任公處，其詞頗苦，而任公不以芥蒂，撰序顯揚甚力；廣量恢宏，可謂不負死友矣。

墨經與說縱橫相比傅，事例奇詭，他書無與同者。歷來諸家冥擿暗索，其道漸明，梁氏既出，立為通例，旁行牒經，殆無可疑。雖其分合上下，未臻愜當，要之小小闕失，有待補苴，無傷大體。故總經上下百七十條，奇偶參互，而與說之牒字應若合符，其參差者數條而已。偶有不可解者，姑付蓋闕，豈可輕變舊章，失其故步哉？子武不然，撰為考目，移易其次第，上下前後，意為顛倒。如經上「體分於兼也」，應在上列。「必不已也」應在下列，子武乙之。不惟行列紊亂，非其本來，又與說之次第不應，則並說而移之；不知經本旁行，或有可亂之勢，說乃直行，何至以數十條後之說越至數十條之前耶？子武以為此乃「校寫者據經正說，遂無可復理。」吾不知此校經者能明墨義耶？則經亦不致紛錯。不明墨義耶？則又何從知經說之相附而移之耶？子武既移經，並移說以就之，毋亦任情而已。其他隔越多條，移易分合之處極多，皆可怪，無可取。則亦何如仍其舊貫之為得耶！

墨經所論知行辯難，以至形數質力，似有義類可分，然四篇既非一人一時之作，又烏能釐然秩然條貫不紊耶？聚其同類諸條以資闡究，則考訂一家學案者所有事，然不能謂經之本來應爾也。宋人刪補經傳，以就己說，世多譏之。子武之考訂，毋乃類是。

世之解墨經者或囿於儒言，無所發明，或附會新理，馴至怪誕；今人多知前者守舊之失，不知後者矜奇立異之失尤甚。子武此書多平實，不為高論，此其所長也；其尤善者，如：經上「仁體愛也」，諸家均不能發明體字之義，遂成贅詞。余解為本體之愛，亦非了義。子武謂『體分於兼」，「經上」兼則仁矣義矣。「兼愛下」蓋墨家以仁為愛之一體，故曰體愛。墨子言體愛，殊於兼愛。故墨不貴仁，而言仁必及義。』其說以墨證墨，灼然明白，可謂深得墨義。勝余說萬萬，惜余書早就，已付書賈刊印，方得子武書，不及改從之矣！

又如經說上「凡牛樞非牛」，舊說支離難通。梁氏校改為「此牛渠非牛」，亦曲說不能厭人之意。錢穆以荀子「道樞」之樞為說，余前作疏證，即採錢說，以其不改字而義得通也。子武校「樞」為「區」，別也，言凡牛別於非牛。樞本從區得聲，雖改字，自在軌術中。較梁氏之改樞為渠，正妄相去遠矣。又如經下「均之絕否」條，諸家多引列子為說，梁氏且謂張湛注甚當，殆皆不明於均字之義。子武則謂列子張注皆非墨經之義，與余疏證說合。特經說中無「重」字，而孫星衍據列子增之，子武從其說，誤矣。

其他亦有穿鑿支離者：如校佴為侮，校眗民為均氏，校富商為唐帝，校於福為邦福。諸凡難解處，輒改字而為之說，史之闕文今亡矣夫！又如論田駢、慎到之所出，李悝、商鞅之所本，推之大同為我並耕任俠，胥出於墨，其言恢廣，備一說耳。

要之，此書所徵引者，極於梁氏，未為完備。子武猝死，未及殺青，他人為之校定付刊，其有不備，無責焉耳。

墨子三家校注補正提要 （30）

段工

墨子三家校注補正二卷，王樹枏著。樹枏字晉卿，新城人，清季進士，研悅經史，撰述極夥，此補正二卷，殆其餘力所成。其自序謂「漢唐以來治是書者益寡，乾隆癸卯畢弇山沅集盧孫校本，重加訂正，作校注十五卷；道光中高郵王氏念孫，補校六卷。自兩家書出，而是書大半可通，然間有考訂未審，及誤文漏義，遺諸目前者，復作補正二卷。」是補正畢、王二家，而書名三家，豈以吳摯甫所勘正，亦列為一家耶？此書成於光緒丁亥，時孫氏閒詁尚未行世，張惠言經說解稿亦未刊，故書中皆無所徵引駁難，雖不及孫、張之專精，然亦有勝處，世之兼士，當不廢此書也。

余喜治墨子辯經，經及說四首，勝義極富，而前人既淆於體例，又為儒言所囿，雖孫氏體大思精，於修身諸篇，發明義蘊殆盡；而此四首，猶然不能冰釋理解。晉卿此書，其失亦同。墨子辯經，重在闡義，而前人誤為訓詁之書，晉卿以「相盡也」為句，引「公羊傳注，胥相也」，胥與盡同義，故曰相盡也。」此則爾雅字林，更有何新義可取。其他「恕明」、「實榮」諸條，多同此失。又有不明句讀者，如「已成亡」，每字各為一讀，言「已」分「成亡」二種也。而晉卿漫云「成則歸於亡」，豈將泯成亡之界，若莊周之齊物耶？其他分割上下，失誤尤多，不遑舉也。跋謂楊墨之道，行於海西，器械機巧，尤出於墨子之證，迂謬不待難詰矣。引吳摯甫說，見吳氏點勘中，當別為提要，茲不論。

「劉昶續墨子閒詁」提要（42）

隨伯子

墨子閒詁者，瑞安孫仲容所撰，此續之也。昶字載賡，漢川人，仕履未詳。殆清季諸生，而究心訓詁者，書成於乙丑歲，即民國十四年，較任公之校釋為晚出，而無所駁正，知其徵引之不廣矣。

其訓釋之善者，足補孫氏之未備。若親士篇「分議者延延」，諸家無注，孫氏亦無所發明。劉謂「分」為「礻」之形譌，「礻議」，即「創議」，憂深慮遠者，每創為長治久安之宏議也。三辯篇「環天下自立以為王」，諸家亦無注。劉引「自環」謂之私，以證「環天下」為「私天下」。尚賢上篇「有高墻深宮墻立既謹上為鑿一門」，孫氏斷至「既」字為句，疑「立既」為「既立」之誤倒；訓「謹」為「僅」，近於望文生義。劉以「墻立既謹」四字為句，訓「既」為「墍」，說文「仰涂也」；訓「謹」為「堇」，說文「黏土也」。墻立既謹，言墻成而塗塈也，可謂浹當之至。尚賢下篇「灰於常陽」，洪、畢皆以灰為「販」之譌，孫氏從之。灰與販形遠，即灰與反亦不甚近。洪、畢之說，似近附會。劉謂「灰」即「自然灰」，今亦謂之「石鹹」，為陶染必需之物。以解舜事，尤為切合，劉本治說文義訓，頗以此自熹，上舉諸條，皆其所長也。然全書四卷，不能盡稱是。有訓詁家常義，如偪之為逼，弗之為弼，離之為羅，放之為方，辟之為譬，蚤莫之為早暮；前人舉證，已甚眩備，亦復累累言之，無乃詞費。余前讀馬君敘倫莊子義證、呂氏春秋札記等，頗有此失；嘗以為歡笑，劉氏殆亦不免。而君皆以此為長技，故不能忘懷於此耳。

劉氏又喜以新說附會。辭過篇「凡回於天地之間」，引詩「雲漢」昭回於天，其義已明。乃更蔓引近世理化家言，物質能力不滅及炭氧氫氮等方程式，支離惝恍，可決其非墨義。又甚敷淺，徒令新學小生，為之齒冷。又經上云「體分於兼也」，此甚易明。乃泛引新說「以太」、「原子」等，誇其博通耶！亦可決其非為墨義。欲求其分辨於新舊雅俗之間，釐然不紊，難矣！

此書本以續閒詁，故其例謂「閒詁無注，或注而未允者，始注之。」然亦有不盡然者。所染篇引「詩曰，必擇所堪，必謹所堪。」劉謂「堪」乃「湛」之音假，湛者漬也，其說精諦。然王念孫已謂堪當讀湛，並廣徵說文、月令、周禮、荀子等，證湛與瀸、漬、漸同義。孫氏備引其說於句下，何待劉氏之續哉！亦可異已。

此書既晚出，未能盛行於代，世之墨家，稱道者少，惟某君撰墨學十論，曾略評之，惜未能舉其訓說之精，轉稱其久宇一條為新款。然解「久」為「宙」，既是常訓，較「守」為「宇」，亦本王引之，皆不足當新穎之稱。至其解經說謂「古今合旦莫而成」。又謂「西家之謂東方，東家之謂西方，故不曰東西中南北，而曰東西家南北」。其說誠新款，無乃支離詭誕耶？遠不及張、胡諸公所校「合古今旦莫，蒙東西南北」之諦當矣。某君治墨有年，其所自撰序例，高自稱詡，而讀此書，所取舍乃如是，論人豈易也哉！

跋曹燿湘墨子箋（37）

隨伯子

曹氏之箋凡十五卷，備城門下無箋，無箋是也，並本文而刊落之，則非也。各篇所箋，詳略不一，其詳者句各提行，而略者則箋載句中，恐尚非善定之本，或有待於增補。又如注中，皆先出校語，後解其義；然亦有校語間在注中者，是亦稿未厘定之證也。

大概親士、修身、經上下、經說上下、大小取八篇為詳。似曹氏精力萃於經等六篇，既先寫定，乃次第解釋親士、修身。不審何以竟未卒業，不復賡續，然其著手先後，可揆知矣。

每篇末皆有總說，以衍其義，文或繁冗，然亦唐人疏經之法，未可輕訾。書末附讀墨要指，黜儒家之偏見，申墨學之精機，固已異拘墟之士，又無墨學西行說之誣罔，較之同時王闓運所言，此為弘通。大體訓詁考證，未若孫氏精審，而疏通大義則過之。其辯經之箋，尤推卓識，遠非同時諸家所可及。畢氏聊道先路，孫氏亦多割裂不精，曹氏斷句標題，厘然精當，任公所矜為創獲者，曹氏多已先言之。如經下說，「無子在軍」句、「無欲傷生損壽」句，舊皆連讀，任公以兩無字為目，厥誼乃昭，其自矜詡，然曹氏固如此也。此類甚多。任公生新說大昌之代，又有皋文仲容諸書，啟其神智，發明較易。曹氏書成於光緒之季，張孫所著皆未刊布，而造詣如此，不亦偉哉！

蓋曹氏對於經說互校之術，固深明而確守，故所得自不遜於任公也。惟梁氏知說無合釋之例，而曹氏乃不免此失。又謂有「有說無經」者，則緣說繁而強分之耳。如「同異交得」條，竟折至十二條之多，誤矣。至氏訓詁獨勝處，如訓巧為考、訓萌為氓、訓久為宙，皆後來注家所不能易。又如校改建住為建位、改大常中為大小不中、訓蠶為收縮，亦足使讀者豁然理解。惟前人多不辨墨子施龍之異，故曹氏亦引飛鳥之影，均髮均懸等為說。又訓「異類不吡」為「異類不別」，謂其合同異之意，可謂毫厘千里。總之，曹氏此箋，斷句分章，疏通證明，功力至勤；當令任公輩與他人我先之歎，一二小眚，無害大德耳。較諸湘綺之注，有切實與虛誕之異；而近人李笠號稱治墨家言，乃軒王而輊曹，誠不知何所見而云然也。

離騷簡釋（66～76）

隨伯子

屈原離騷輝耀千古，豈徒以其文辭音節之美哉！其憂國愛君之忱，求賢嫉邪之意，一篇之中三致意焉。感人之深，蓋有由矣。賈生生當漢文休息無為之際，天下士庶萌隸，方且相與喁喁望治，不知時事之可太息也。一旦過長沙，猶投書以弔屈原。漢、魏而後，興衰靡常，大抵治世少而亂日多。若夫永嘉、靖康之世，四郊多壘，胡馬充盈，國勢兀臬，甚於懷襄；士生當其時，有不讀離騷而感憤者哉！余幼承祖訓，授以騷辭，質既鈍魯，又無家國之感，雖讀之不知好也。及長更事既多，不自揣量，欲從事於文史。離騷，文辭之祖，反覆諷誦，歡喜讚嘆。然於前人訓說，未遑仔細鑽研；輒以之教授後生，亦可笑矣。

稺露嘗思為天問作注，集得此類書不少，自王洪而下凡若干家。立說不盡同，而皆有可取。繙閱討論，時有所得，錄存其語，名曰離騷衡注。閣置篋衍，忽忽十年。其間續有所得，別獲新義，未暇一一更訂之也。今春休沐，同文星散，寓居江城，甚無聊賴；因取離騷口授小兒女輩讀之。行篋乏書，未克詳解；僅以舊撰衡注為底本，略益以新說，惟希覽之易明；珍聞奇訓，不能備也。文中所定章節，皆參考眾說，不名一家，或憑鄙意，偶有發明，其所從違，不復具列。自惟牢落不偶，壯歲依人，所周旋者不外閭里書師，未嘗一預人家國事。是以雖好離騷，而無所感憤，亦徒玩索於文辭音節之末而已耳。二十五年四月五日，記於揚州之零硯廬。

帝高陽之苗裔兮，朕皇考曰伯庸。攝提貞于孟陬兮，惟庚寅吾以降。皇覽揆余初度兮，肇錫余以嘉名。名余曰正則兮，字余曰靈均。

屈原自道與君共祖，關係密切，恩深而義厚，非泛泛可比。始生有端善之度，爰以立名嘉美可稱道也。

紛吾既有此內美兮，又重之以脩能。扈江離與辟芷兮，紉秋蘭以為佩。汩余若將不及兮，恐年歲之不吾與；朝搴阰之木蘭兮，夕攬洲之宿莽。

自惜才華，故及時脩德。光陰迅速，故朝暮延攬人才。按重猶加也；內美謂生而質性粹美也。脩，潔治也。脩能猶言脩德。王注「絕遠之能」，似誤。

日月忽其不淹兮，春與秋其代序。惟草木之零落兮，恐美人之遲暮！撫壯而棄穢兮，何不改乎此度也？乘騏驥以馳騁兮，來吾道夫先路也。（王本撫上有不字，此從文選刪。又，王本無乎字及兩也字，此從一本。）

因光陰之不留，望懷王及早覺悟；而己願為之佐也。美人謂懷王也。

昔三后之純粹兮，固眾芳之所在。雜申椒與菌桂兮，豈維紉夫蕙茝？彼堯舜之耿介兮，既遵道而得路。何桀紂之猖披兮！夫惟捷徑以窘步。

陳古事以明因果，雜用眾賢，以致於治；不由正道，所以蹙迫也。戴東原云：「三后，楚先王，人所共曉，故逕省其詞。其能繹若敖蚡冒乎？」王注謂「禹湯文王」，誤也。

惟夫黨人之偷樂兮，路幽昧以險隘。豈余身之憚殃兮！恐皇輿之敗績。忽奔走以先後兮，及前王之踵武。荃不察余之衷情兮，反信讒而齌怒。

慨今世而嘆王之不信己。黨人苟且不知引君大道，我欲諫爭者，非懼身之被殃，但恐君國傾危耳。乃反不見信也。皇輿，君之所乘，以喻國。

荃，香草，以喻君。

余固知謇謇之為患兮，忍而不能舍也。指九天以為正兮，夫唯靈脩之故也。初既與余成言兮，後悔遁而有他。余既不難夫離別兮，傷靈脩之數化。（今本，夫唯靈脩之故也句下，有「曰黃昏以為期兮，羌中道而改路」句。洪云：「一本有此句，王逸無注，至下文羌內恕己以量人，始釋羌義。疑此二句，後人所增。」按，洪說是也。全文均兩韻相麗，此獨乖違，逕刪之。）

自言亦知忠貞足以賈禍，然不能舍棄而去者，為愛王故也。稱露曰：『靈，令也，脩，潔也。嘉美之名，以喻懷王，劉向九嘆作「靈懷」，詞義尤顯。是釋靈脩為懷王者，乃舊說相沿如此，不自王注始也。』近人或謂指頃襄王，然屈之為左徒，在懷王之世，其後疏放不反，則成言之約，與頃襄王不類。仍以舊說指懷王為是。

余既滋蘭之九畹兮，又樹蕙之百畝，畦留夷與揭車兮，雜杜衡與芳芷。冀枝葉之峻茂兮，願竢時乎吾將刈。雖萎絕其其何傷兮，哀眾芳之蕪穢。

言己為國培植人才，欲俟其成而舉用之，惜君王信讒，竟見疏放，因嘆己之萎絕，亦何所傷，特人才從此摧喪，為可哀耳。蘭、蕙等皆芳草，以喻賢才。王注謂滋蘭、樹蕙為修行仁義，似誤。

眾皆競進以貪婪兮，憑不厭乎求索。羌內恕己以量人兮，各興心而嫉妒。

忽馳騖以追逐兮，非余心之所急。老冉冉其將至兮，恐脩名之不立。

他人競進貪婪，非己所急；己之所急，在於脩名。按，競進謂爭位，貪婪謂愛財。王注：「愛財曰貪，愛食曰婪。」然貪、婪分說，雖有財、食之異，合說則不別也。近人或譯此句為「大家都競爭着在以酒食為征逐」。似拘於貪食曰婪之訓，而遺脫爭位愛財之義，恐非也。文中有老冉冉其將至語，則離騷殆屈原晚年作也。

朝飲木蘭之墜露兮，夕餐秋菊之落英。苟余情其信姱以練要兮，長顑頷亦何傷？擥木根以結茝兮，貫薜荔之落蕊；矯菌桂以紉蕙兮，索胡繩之纚纚。

欲之脩名，其道何由？亦惟有正道直行，脩身建德，雖與俗戾所不恤耳。雜採眾芳，以喻其潔也。信，實，姱，好也。顑頷，食不飽面黃貌。言中情實美，雖顏色憔悴，亦何傷乎？近人或譯朝夕為春秋。其意蓋謂蘭榮於春，菊秀於秋，非朝夕所可採。不知文人喻言，未可拘執；且朝飲夕餐，亦可見其修行之汲汲，不敢一息懈耳。易為春秋，似可不必。落英之說，聚訟紛然，未有定論。近人或譯為菊花瓣上的紅霜，亦似有增字之嫌。

謇吾法夫前脩兮，非世俗之所服。雖不用於今之人兮，願依彭咸之遺則。

哀民生之多艱兮，長太息以掩涕。余雖好脩姱以鞿羈兮，謇朝誶以夕替。

既替余以蕙纕兮，又申之以攬茝。亦余心之所善兮，雖九死其猶未悔。

（哀民生之多艱兮、長太息以掩涕二句，原倒，韻不協。依周密齊東野語所說乙轉。涕與替為韻。段玉裁艱與替合韻，其說未諦，茲不從。）

上法彭咸，下哀民生，脩德進諫，而遭屏棄，然仍脩德不已，雖九死而不悔也。王注：彭咸，殷賢人，投水死者。按，民生多艱，民生即人生，生當亂世，人多屯難，屈原念之，太息掩涕。此聖賢悲閔之懷也。

遠遊曰：哀民生之長勤，與此意同。近人或譯為「我哀憐我生在這世上多受艱苦」，則民生應作余生矣。恐非屈原意也。誶，王訓為諫，洪訓為告，皆可通。近人或譯為卒，謂卒業也，雖似可喜，未敢深信。

怨靈脩之浩蕩兮，終不察夫民心。眾女嫉余之蛾眉兮，謠諑謂余以善淫。固時俗之工巧兮，偭規矩而改錯。背繩墨以追曲兮，競周容以為度。忳鬱邑余侘傺兮，吾獨窮困乎此時也！甯溘死以流亡兮，余不忍為此態也。

王心昏暗，眾口讒諂，不能隨從世俗，屈求容媚；故獨為時人所困窮，甯死不忍自污也。浩蕩無思慮貌。屈原雖疾王聽之不聰，而其譏刺之詞，亦僅謂之為無思慮而已。未嘗為過甚之詞，詩人忠厚之旨也。民心猶言輿論，民之好惡，是非之公，猶有存者。而懷王不察，此其所以為浩蕩也。近人或譯此句為「你始終是不肯揣察出我的私心。」人民心為我的私心，此誠可謂化公為私矣！不亦大可怪哉！以上第一段，屈原之自序也。庚寅以降，紀初生也。朝搴夕攬，言幼學也。道夫先路，佐王治也。不察衷情，壯而離憂也。脩名不立，念將老也。溘死流亡，決死志也。畢生志事，具於此矣。此全文之綱領也。

鷙鳥之不群兮，自前世而固然！何方圜之能周兮，夫孰異道而相安？屈心而抑志兮，忍尤而攘詬。伏清白以死直兮，固前聖之所厚！

此假設譬解之詞，不欲徒死也。忍，含忍也。尤，過也。攘，聽任也。今俗謂受侮不報者曰讓。詬，恥也。忍尤攘詬，猶言含垢忍辱耳。言己姑且屈抑含忍，以求全於亂世。厚，重也。言清白之身，被讒死直，雖無媿於心，終無益於事，則泰山鴻毛，固聖人所重視，而不肯率易者也，也非屈易本懷，姑謂詞以盡事理耳。王注謂「攘詬，為除去恥辱，誅讒佞之人，如孔子誅少正卯。」又謂「厚，為厚哀，如武王封比干墓表商容閭。」說甚迂曲，恐非原意。近人或譯方圜、異道兩句為「那有方和圓能夠互相通融，那有曲和直能夠一概相量。」通融非「周」字之義，異道，亦非曲直之謂，皆失原意。

悔相道之不察兮，延佇乎吾將反。回朕車以復路兮，及行迷之未遠。步余馬于蘭皋兮，馳椒丘且焉止息。進不入以離尤兮，退將復脩吾初服。

自懲於昔日之孤介，動與世戾，思一改其行，及早返轡；不復與人乖違，以免世患，或可退而明其本志，此兩全之道也。此仍設詞，非屈原本懷。

製芰荷以為衣兮，集芙蓉以為裳。不吾知其亦已兮，苟余情其信芳。高余冠之岌岌兮，長余佩之陸離。芳與澤其雜糅兮，唯昭質其猶未虧。

脩身潔行，保我明德，我苟信芳，何求人知乎？此設言將隱也。按，道行則兼善天下，不用則獨善其身，此異姓事君不合則去者之行為；屈原惓惓君國，絕無肥遯鳴高之心，忽作此言，明非本懷。

忽反顧以遊目兮，將往觀乎四荒。佩繽紛其繁飾兮，芳菲菲其彌章。民生各有所樂兮，余獨好脩以為恒，雖體解吾猶未變兮，豈余心之可懲？（恒本作常，與懲韻不協；孔撝約謂漢人避諱改，其說是也，從之。）

往觀四遠，則求賢君，以己之昭質，將益章顯，此設言將去國也。然人各有樂，余獨好脩，既與眾異，孰能知余？余豈肯懲艾於此，變節以從他人哉？是則前所謂忍尤攘詬，延佇將反之意，舉不可用；守其初服，雖死不悔。此屈原所以為硜硜之忠貞也。

以上第一段，孤介之士，窮無復之，未嘗不審思反覆；思稍稍貶損其節，以報俗目；而自愛其樸，終不能改。幽人貞吉，此其徵矣。後文女嬃靈氛求女遠遊諸段之意，皆從此出；是此段又後文之轉捩也。

女嬃之嬋媛兮，申申其詈予。曰：「鮌婞直以亡身兮，終然殀乎羽之野。汝何博謇而好脩兮？紛獨有此姱節？薋菉葹以盈室兮，判獨離而不服。眾不可戶說兮，孰云察余之中情。世並舉而好朋兮，夫何煢獨而不予聽？」

此女嬃解勸之言。洪曰：「觀女嬃之意，蓋欲原為甯武子之愚，不欲為史魚之直耳。非責其不能為上官椒蘭也。」而王逸謂女嬃詈原以與眾合，不承君意，誤矣。申申，和舒之貌，女嬃詈原，有親親之意焉。王闓運以女嬃為原妾，此勝舊說。蓋嬃，本有妾意，見易歸妹釋文；而秭歸，本古歸子國，不自原姊來歸始得名也。王注，嬋媛，猶牽引也。不知嬋媛猶嬋娟美好貌；前人誤以嬃為原姊，似不能稱其美好，故強以牽引為說耳！近人或譯為殷勤，亦非。博，取也，博謇，謂博取謇謇之行。近人譯為孤高，誤也。薋，說文，草多貌，言王芻枲耳紛然盈室也。朋，即黨也。屈原嫉惡，則斥之為黨人；女嬃和舒，則稱之為好朋。用名不同，而合意自殊，離騷之文，何其謹嚴也。眾不可戶說下四句，亦女嬃之詞。郭曰：「察余之余字，當解作複數，古人代詞單複無別，如詩『我車既攻，我馬既同』、『母氏聖善，我無令人』均為我們。此句余字正同。前人坐此字不得其解，以此節為屈原之語，非是。」

依前聖之節中兮，喟憑心而歷茲。濟沅湘而南征兮，就重華而陳辭。

自此以下原答女嬃之詞。言己所言行，皆依前聖之法，節其中和，未嘗激過；而遭歷困頓，至於此極，不亦令人喟然憤懣乎！因舉昔日對懷王之詞，以告女嬃，明己言行未有乖失，聊解女嬃見詈之意耳。謂之重華者，望其君為堯舜之意，猶前稱荃稱美人也。下文所舉史事，皆在舜後，知其非真向重華陳詞矣。

啟九辯與九歌兮，夏康娛以自縱。不顧難以圖後兮，五子用失乎家巷。羿淫遊以佚畋兮，又好射夫封狐。固亂流其鮮終兮，浞又貪夫厥家。澆身被服強圉兮，縱欲而不忍。日康娛而自忘兮，厥首用夫顛隕。夏桀之常違兮，乃遂焉而逢殃。后辛之菹醢兮，殷宗用而不長。

此舉昔日告王之詞，以告嬃也。下二節亦同。所陳皆古人亂德失敗之事，以箴王者。洪曰：「山海經云：夏，后開上三嬪於天，得九辯與九歌以下。天問亦云：啟棘賓商，九辯、九歌。」是九辯、九歌正是啟樂。夏，大也。康，安也。娛，樂也。大肆安樂，以放縱也。王注謂，夏康為啟子太康，固誤，近人或譯為夏天歡樂，亦非。五子即武觀，五觀，一人非五人，前人辨之詳矣；其事甚古，不可盡考。王念孫謂「失字衍文，家巷，即內訌。」稱露曰「家，謂族眾，貪夫厥家，言殘殺其族眾也。方言，惏，殺也。晉魏河內之北謂惏曰殘，楚謂之貪。王注，貪為貪取，非。」

湯禹儼而祇敬兮，周論道而莫差。舉賢而授能兮，循繩墨而不頗。

此所舉皆古人聖賢成功之事，以為王勸者。

皇天無私阿兮，覽民德焉錯輔。夫維聖哲以茂行兮，苟得用此下土。瞻前而顧後兮，相觀民之極計。夫孰非義而可用兮，孰非善而可服。

歷觀往事，而天心民意之禍福向背，皎然可見，因勉王以為善也。諫王之詞止此。

阽余身而危死兮，覽余初其猶未悔。不量鑿而正枘兮，固前脩以葅醢。曾歔欷余鬱邑兮，哀朕時之不當。攬茹蕙以掩涕兮，霑余襟之浪浪。

以上又答女嬃之語，因而泣下霑襟矣。此言正諫危身，無所悔疚，惟自恨生不逢辰耳。曾，嘗也。此追述昔日，以告女嬃，故用曾字；王注，曾，累也，非是。

以上第三段，因女嬃之詈，述諫王之詞，明己言行，依聖折中，未嘗激過，而遭遇悔尤，為可哀也。

跪敷衽以陳辭兮，耿吾既得此中正。駟玉虬以椉鷖兮，溘埃風余上征。朝發軔於蒼梧兮，夕余至乎懸圃。欲少留此靈瑣兮，日忽忽其將暮。吾令羲和弭節兮，望崦嵫而勿迫。路曼曼其脩遠兮，吾將上下而求索。

以下八節，共成一段，言上征求女之事。上征者喻其欲，再見王而申諫也。前以重華喻懷王，此所欲見者則頃襄王也。靈，神也；瑣，門鏤也；以喻王居。言幸至王居，而日已暮，將不獲見。冀時光之稍待，雖長路曼曼，吾必將求而見之。言求復見王之迫切也。

飲余馬於咸池兮，總余轡乎扶桑。折若木以拂日兮，聊逍遙以相羊。前望舒使先驅兮，後飛廉使奔屬，鸞皇為余先戒兮，雷師告余以未具。吾令鳳鳥飛騰兮，繼之以日夜。飄風屯其相離兮，帥雲霓而來御。紛總總其離合兮，班陸離其上下。吾令帝閽開關兮，倚閶闔而望予。

此言見王時周流道路之情形也。然皆願望之詞，非為實事。所舉地名，蒼梧、懸圃、崦嵫、咸池，東西方位，固難確指；而人名如先舒、飛廉，亦難明其喻意之所在。殆隨文敷敘；聊見求索之難，艱阻之多耳。舊注一一求其事以實之，鑿矣。夫日之將暮，一難也；路之脩遠，二難也；飲馬相羊，先期戒備，而雷師告以未具，三難也；飄風屯離，雲霓來御，四難也；（御借為禦，拒也，言佞人拒己使不得見王也）總總離合，陸離上下，五難也。王注：「游觀天下，但見俗人，競為讒佞，傍傍相聚，乍離乍合，上下之義，斑然散亂，而不可知也。」帝閽使門，拒不得入，六難也。總茲六難，雖欲見王，不可得矣。

時曖曖其將罷兮，結幽蘭而延佇。世溷濁而不分兮，好蔽美而嫉妒。

時世昏昧，踟躕莫前，嘆王之終不獲見也。

朝吾將濟於白水兮，登閬風而緤馬。忽反顧以流涕兮，哀高丘之無女。

女以喻賢。言小人眾多，在王左右，是以被阻，不克見王。思求賢士，與己同志者，以為王輔。己雖去國，意不能已，此屈原求女之本意也。

舊說，高丘，楚地名，此不必然，當是用之以喻楚國耳。觀上句反顧流涕之語，其為睠念本國可知。近人或譯此句為「我可憐這天國也無美女可求。」不知既是天國，又何必「回轉頭」乎？此應譯為「本國」、「祖國」、「宗國」等等，不能用「天國」字也。

溘吾遊此春宮兮，折瓊枝以繼佩。及榮華之未落兮，相下女之可貽。吾令豐隆乘雲兮，求宓妃之所在。解佩纕以結言兮，吾令蹇脩以為理。紛總總其離合兮，忽緯繣其難遷。夕歸次於窮石兮，朝濯髮乎洧盤。保厥美以驕傲兮，日康娛以淫遊。雖信美而無禮兮，來違棄而改求。

初求宓妃，其事中梗。又以宓妃驕傲，亦遂棄之他求也。郭沫若曰：「左傳襄四年，后羿自鉏遷於窮石，天問，帝降夷羿，革孽夏民，胡射夫河伯，而妻彼洛嬪。洛嬪，即宓妃，此言宓妃與后羿通淫。」按，郭說與姚鼐大同，皆據左傳、天問附會。惟僅窮石一地有著落，然洧盤又何指耶？古事茫昧，難以質言，不必鑿求之也。廣雅，理，媒也，王注，理，為分理。誤。

覽相觀於四極兮，周流乎天余乃下。望瑤臺之偃蹇兮，見有娀之佚女。吾令鴆為媒兮，鴆告余以不好。雄鳩之鳴逝兮，余猶惡其佻巧。心猶豫而狐疑兮，欲自適而不可。鳳皇既已受詒兮，恐高辛之先我。

次求娀女，又無媒介，鴆與鳩皆非其任，欲自往又不可，私心惶惑也。郭沫若曰：「鳳皇受詒，實即玄鳥傳說。」天問：簡狄在臺嚳何宜，玄鳥致貽女何喜。九章：思美人，高辛之靈盛兮，遭玄鳥而致貽。玄鳥致貽，即此鳳皇受詒。受，授省，詒，貽通，知古代傳說中之玄鳥，實是鳳皇也。商頌：天命玄鳥，降而生商。注家以玄鳥為燕，乃後來之轉變。

欲遠集而無所止兮，聊浮遊以逍遙。及少康之未家兮，留有虞之二姚。理弱而媒拙兮，恐導言之不固。世溷濁而嫉賢兮，好蔽美而稱惡。

次求二姚，理弱媒拙，終難有望也。虞思妻少康事，見春秋傳哀元年。

閨中既以邃遠兮，哲王又不寤。懷朕情而不發兮，余焉能忍與此終古。

閨中邃遠，女不可求也。哲王不寤，王不得見也。懷情不發，忠信不用也。焉能忍此，決去國也。

以上第四段，上言見王，不忘君也。下言求女，求賢士也。兩不得遂，憤而去國也。

索藑芳以筳篿兮，命靈氛為余占之。曰：「兩美其必合兮，孰信脩而慕之？思九州之博大兮，豈惟是其有女？」曰：「勉遠逝而無狐疑兮，孰求美而釋女？何所獨無芳草兮？爾何懷乎故宇？」世幽昧以昡曜兮？孰云察余之善惡？（占、慕不協，蓋以兩之字為韻。郭沫若謂，慕應作莫，下泐一字；當是耽、欽、探、尋之類，誤與莫字合為慕字。此說新穎，未敢逕從。）

雖欲去國，尚覺踟躕，就決於靈氛也。兩曰字，皆靈氛之語；未占而疑，既占而決，故分兩次敘之也。孰信脩而慕之，言楚國有誰信汝之脩潔而慕汝耶？有女之女，與前求女之女同，喻賢士也。釋女之女，同汝。占詞勸屈原遠逝也。世幽昧二句，屈原反詰靈氛之詞，言世人皆暗昧惑亂，雖復遠逝，又孰能察余？是難去之意也。

民好惡之不同兮，惟此黨人其獨異。戶服艾以盈要兮，謂幽蘭其不可佩。

覽察草木其猶未得兮，豈珵美之能當？蘇糞壤以充幃兮，謂申椒其不芳。

此靈氛更告屈原之詞。言人情不同，他國之士，不至如楚人之特異，仍勉其遠逝也。

欲從靈氛之吉占兮，心猶豫而狐疑。巫咸將夕降兮，懷椒糈而要之。百神翳其備降兮，九疑繽其並迓，皇剡剡其揚靈兮，告余以吉故。（戴東原曰：迓，音御，或譌作迎，因九歌湘夫人文誤。）

此聞靈氛之勸，尚自狐疑，又用巫咸降神之術，以決之也。

曰：「勉陞降以上下兮，求矩矱之所同。湯禹儼而求合兮，摯咎繇而能調。苟中情其好脩兮，又何必用夫行媒？說操築於傅巖兮，武丁用而不疑。呂望之鼓刀兮，遭周文而得舉。甯戚之謳歌兮，齊桓聞以該輔。及年歲之未晏兮，時亦猶其未央。恐鵜鴂之先鳴兮，使夫百草為之不芳。何瓊佩之偃蹇兮，眾薆然而蔽之。惟此黨人之不諒兮，恐嫉妒而折之。」

此巫咸降神，告屈原以速去也。湯禹之事，明賢相合也。傳說之事，不嫌無媒也。無歲未晏，勉其毋遲誤也。黨人不諒，戒其速遠禍也。較靈氛之說，又周詳而懇至矣。此屈原所以不能不聽從其言而遐舉也。

時繽紛其變易兮，又何可以淹留。蘭芷變而不芳兮，荃蕙化而為茅。何昔日之芳草兮，今直為此蕭艾也。豈其有他故兮，莫好脩之害也。

屈原既聞占卜降神之詞，皆勉其遠逝；因漢楚國風俗之日壞，賢者多不能保其晚節，化為蕭艾。豈好脩轉足為害耶？深詫之也。莫者，疑詞，猶言「莫不是」，今俗語猶然。近人或譯為「不肯自愛」，似失其意。

余以蘭為可恃兮，羌無實而容長。委厥美以從俗兮，苟得列乎眾芳。椒專佞以慢慆兮，樧又欲充乎佩幃。既干進而務入兮，又何芳之能祗。固世俗之流從兮，又孰能無變化？覽椒蘭其若茲兮，又況揭車與江離。

此斥椒蘭之變志也。王注：「蘭，懷王少弟司馬子蘭也。椒，楚大夫子椒也。椒蘭若此，況朝廷眾臣，而不為佞媚以容其身耶？」郭沫若謂，此說最確。屈原正用隱喻指責當時權貴；因蘭椒是離騷中讚美之物，此忽變易，頗可揣量其用意之所在。按，屈原指斥朝貴，無所回避，其詞愈迫，其心愈苦矣。

惟茲佩之可貴兮，委厥美而歷茲。芳菲菲而難虧兮，芬至今猶未沬。和調度以自娛兮，聊浮遊而求女。及余飾之方壯兮，周流觀乎上下。

自言余之所佩，異乎椒蘭，歷久彌芳，是以可貴。今占卜之詞如彼，楚國之俗如此，能不及我壯時，周流四遠，以求同志乎？此言出遊非本志也。

以上第五段，就占卜降神，決定去國也。

靈氛既告我以吉占兮，歷吉日乎吾將行。折瓊枝以為羞兮，精瓊爢以為粻。為余駕飛龍兮，雜瑤象以為車。何離心之可同兮，吾將遠遊以自疏。

此將出遊，首戒途也。自疏，謂自解免禍，見違棄宗國，非其本懷。此處靈氛之吉占，指出行卜日而言，與前占非一事。

邅吾道夫崑崙兮，路脩遠以周流。揚雲霓之晻藹兮，鳴玉鸞之啾啾。朝發軔於天津兮，夕余至乎西極。鳳皇翼其承旂兮，高翺翔之翼翼。忽吾行此流沙兮，遵赤水而容與。麾蛟龍使梁津兮，詔西皇使涉予。路脩遠以多艱兮，騰眾車使徑待。路不周以左轉兮，指西海以為期。

周遊道途間之事。戴東原曰：「戰國時言仙者，託之崑崙，多不經之說，篇內寓言及之，不必深求也。」

屯余車其千乘兮，齊王軑而並馳。駕八龍之蜿蜿兮，載雲旗之委蛇。抑志而弭節兮，神高馳之邈邈。奏九歌而舞韶兮，聊假日以媮樂。

神遊上天，按轡徐行，踟躕瞻顧，其樂已極。特假日歌舞，其媮樂有出自勉強者耳。

陟陞皇之赫戲兮，忽臨睨夫舊鄉。僕夫悲余馬懷兮，蜷局顧而不行。

王注：「屈原設去世離俗，周天匝地，意不忘舊鄉，忽望見楚國馬思歸，而不肯行，此終志不去，以詞自見，以義自明也。」戴曰：「皇，毛詩天也。」

以上第六段，謂言遠遊，而存君興國之念，終不去懷。是以幻境雖美，不足解憂也。

亂曰：已矣哉！國無人莫我知兮，又何懷乎故都？既莫足與為美政兮，吾將從彭咸之所居。

郭沫若曰：「亂，當是辭之誤。文末繫以辭，以作尾聲，與抽思之『少歌曰』、『唱曰』義例相同，亦正楚辭之名之所由得。」王注：「屈原舒肆憤懣，極意陳辭，或去或留，文采紛華。然後結括一言，以明所趣之意也。已矣，絕望之辭，故將自沈汨羅，從彭咸居也。」

天問釋韻（12～18）

耕硯

屈原賦二十五篇，中有「天問」；纚纚洋洋，一千四五百言。凡所呵問者，天地、鬼神、人事咸具，無不懷疑致詰，足令拘虛小儒，呿口而不合，撟舌而不下。可謂為千古之奇文！余弟穉露宿愛好之；而奇詞奧句，猝難理解，王、洪諸舊注，雖援引珍聞祕記，解其所可解；至盤錯肯綮，猶未能冰釋。乃博考諸書，有見必錄，前後凡得數十家，雅俗高下不同，皆有可取。加以近世地不愛寶，卮言日新，凡可以參證天問者不一。所獲既多，發願為之新注。草稿粗具，奄忽長逝，美志不遂，哀哉！哀哉！余以譾陋，未嘗究心於此，又促促少暇，不遑董理，藏置篋衍，何時發露耶？先是穉露以余喜治音韻，取天問韻，屬余攷校；成釋韻一卷，將以附諸新注。注既未成，因別錄單行，異日新注審覈有定本，仍當以此散其中也。

昔釋道騫能為楚辭正讀，其學既不傳，徐邈諸人音訓亦佚、朱子集注專用吳才老叶韻之說，後人頗不然之。明陳第開古音之涂轍，顧、江、戴、段諸君繼有補正。大概以詩經為主，而不廢楚辭，於是緦理漸明，楚些可誦，雖然，其中荊棘猶不能免。天問中以「嚴」與「亡」韻，朱子不知嚴為「莊」誤，轉引詩殷、武為說。雖慎齋、玉裁之精專，不能諟正，墆筠始疑為莊改，猶不敢自堅其說。顯跡尚如此，況微茫乎？他若「雄虺九首倏忽焉在」之應乙轉，「沈之」、「封之」應以「之」字為韻；諸家多不及知，顧曲為之說。致使韻例參差，韻部淆亂；余皆為辨別之，一得之愚，所自喜也。雖然，穉露云亡，賞心何在！重寫斯卷，為之喟然！民國二十四年一月二十七日，耕硯記於揚州之北樓。

道　徒皓切皓韻

考　苦浩切皓韻幽部

戴東原曰：「道，古音徒口切。考，古音去九切。」

極　渠力切職韻

識　賞職切職韻之部

為　王為切支韻

化　呼霸切禡韻歌部

按「為」從皮省聲從皮之字，如波、坡等，均在歌部，故為之古音如譌也。「化」字古音亦在歌部，如吪、訛等均從化得聲，九歌大司命，為字與被離何虧相協。離騷化字與他字相協。皆可證。

度　徒落切鐸韻

作　則落切鐸韻魚部

加　古牙切麻韻

虧　去為切支韻歌部

戴曰：「加，古音居何切。虧，古音去戈切。」按從加之字，加伽茄迦，均在歌韻。虧從虧聲，廣韻。虧，荒烏切，魚部字。魚歌兩部本可相轉也。離騷亦以虧字與離協，可證。

屬　市玉切燭韻

數　色句切遇韻侯部

鄧嶰筠曰：屬為侯之入聲。角弓六章以韻附，附古讀浮晝反，故綿之九章與後奏為韻。江晉三曰：數所奏反。孔廣森、段玉裁說並同，蓋二字古音皆在侯部也。

分　府文切文韻

陳　直珍切真韻文真部

汜　詳里切止韻

里　良士切止韻之部

育　余六切屋韻

腹　方六切屋韻幽部

子　即里切止韻

在　昨宰切海韻之部

明　武兵切庚韻

藏　作郎切唐韻

尚　市羊切陽韻

行　胡郎切唐韻

以上四字相協。方展卿曰：明古音模郎反，行古音杭。歷考詩書易禮記爾雅並同，其餘傳記，不可枚舉。

聽　他丁切青韻

刑　戶經切青韻耕部

施　式支切支韻

化　見前　歌部

戴曰：「施，古音詩歌切。」方曰：「詩新臺三章，邱中有麻首章，並同。廣韻入支，誤。」按洪興祖謂施音豕，其說非是。

功　古紅切東韻

同　徒紅切東韻東部

窴　徒年切先韻

墳　符分切文韻文真部

洪曰：「窴與填同。」江曰：「窴，徒人反。」方曰：「玉篇，窴，古文填字。廣韻又音陳。詩柔桑倉兄填兮，釋文，音塵。」顏師古急就章注云：「古田、陳聲相近，故天、田二字見於經者，必與人為韻，先、真、文古同部也。」按史、漢多以填為鎮，愈可證。

盡　胡麥切麥韻
歷　郎擊切錫韻支部
營　余傾切清韻
成、傾、錯、洿、故、多、何、在、里、從、通、到、照、揚、光、暖、言、虬、游、首、在、（缺十五句）
守　書九切有韻幽部
按本作「雄虺九首，倏忽焉在。」在字與前後韻皆不相協，疑兩句誤倒，今乙轉之。則首與守固同韻，與蚪、游亦平上，同部，正相協矣。離騷，長太息以掩涕兮，哀民生之多艱，艱字無韻。錢大昕謂兩句誤倒，蓋以涕字與下句替字相協也。又如本篇下文，繼字與飽字不協。馬瑞辰亦謂應乙轉，其說詳下，是其例也。江謂在叶徂九反，叶韻之說，似未可信。方以蚪、游為韻，首、守為韻，而在、死間於其中，自為韻。以為用韻之變例，變例之說亦未可信。且在屬之部，死屬脂部，古音亦不協；知其說非也。以上六句四韻。

衢　其俱切虞韻

居　九魚切魚韻

如　人諸切魚韻魚部

趾　諸市切止韻

在　見前

止　諸市切止部之部

所　疏舉切語韻

處　昌與切語韻

羽　王矩切麌韻魚部

以上均四句三韻

方　府良切陽韻

桑　息郎切唐韻陽部

繼　古詣切霽韻

顧、江（慎齋）、戴、段諸公分部均同。方曰：「降，古音戶工反，是也。」按離騷亦以降與庸相協。

飽、孽、達、躬、降、（缺五句）

歌　古俄切歌韻

地　徒四切至韻歌部

方曰：「地，古音沱。」九章橘頌與過韻，並同。

民　彌鄰切真韻

嬪　符真切真韻真部

射　食亦切昔韻

若　而灼切藥韻魚部

戴曰：「射，古音時若切。」

謀　莫浮切尤韻

之　止而切之韻之部

戴曰：「謀，古音煤。」段氏謂「謀字詩經五見，左傳三見，均與之韻字相協。蓋古音也。」段說是也。廣韻入尤，誤。

越　戶括切末韻，又王伐切月韻

活　乎括切末韻祭部

營　見前

盈　以成切清韻耕部

堂　徒郎切陽韻

藏　見前　陽部

死　息姊切旨韻
體　他禮切薺韻脂部
段謂脂、齊古音同部。方曰：「詩谷風，死與體同韻。」
與　虛陵切蒸韻
膺　於陵切蒸韻蒸部
安　烏寒切寒韻
遷　七然切仙韻元部
嫂　蘇老切皓韻
首　見前　幽部
戴曰：「嫂，古音叟得聲也。」
止　見前
殆　徒亥切海韻之部

厚　胡口切厚韻

取　倉苟切厚韻侯部

方曰：「取之聲，當以緅掫為正。」

得　多則切德韻

殛　紀力切職韻之部

鰥　古頑切刪韻

親　七人切真韻真部

洪曰：「鰥，古頑切，經傳多作鰥。按，刪與真，古音不協。鰥、寡字，古止作矜，从矛从令。令聲之字，在真韻。又，矜亦作獾，巨巾切。廣韻，真韻。詩經，矜字與天、臻、民、旬、填等為韻。故戴謂其古音如巾也。

億　於力切職韻

極　見前　之部

尚　見前

匠　疾亮切漾韻陽部

害　胡蓋切泰韻

敗　薄邁切央韻祭部

止　見前

子　見前　之部

饗　許兩切養韻

喪　息郎切陽韻陽部

摯　脂利切至韻

說　戈制切祭韻祭部

宜　魚羈切支韻

嘉　古牙切麻韻歌部

嘉，王本作喜，一本作嘉。顧炎武曰：「今本嘉作喜，後人不知古音，而妄改之也。」江曰：「宜音俄，嘉音哥。」按，宜從多聲，嘉從加聲，古音皆在歌部。廣韻分在支、麻，誤。

臧　則郎切唐韻

羊　與章切陽韻陽部

懷　戶乖切皆韻

肥　符非切微韻脂部

逢　符容切鍾韻

從　七恭切鍾韻東部

牛　語求切尤韻

來　洛哀切咍韻之部

戴曰：「牛，古音疑。」段謂「牛聲之字，古在之、咍部。」詩經牛字凡三見，皆然。

甯　奴丁切青韻

情　疾盈切清韻耕部

兄　許榮切庚韻

長　直良切陽韻陽部

戴曰：「兄音虛王切。」按兄音以況字為正。

極　見前

得　見前　之部

子　見前

婦　房久切有韻之部

段謂「婦聲之字，古音在之、咍部。」易經家人正以子婦二字相協。

尤　羽求切尤韻
之　見前
期　渠之切之韻
之　見前　之部
以上四字為韻
嘉　見前
嗟　子邪切痲韻
施　見前
何　見前　歌部
戴曰：「嗟，古音古何切。」按，差聲之字如嵯、醝、磋等，皆在歌部。以上四字以韻。
行　見前

將　即良切陽韻陽部

底　職雉切旨韻

雉　直幾切旨韻脂部

戴曰：「底音旨，譌作底，非。」

流　力求切尤韻

求　巨鳩切尤韻幽部

市　時止切止韻

姒　見里切止韻

佑　于救切宥韻

殺　式吏切志韻之部

以上四韻相協，殺、弒古無異讀，宥韻。與止、志相協者，如前牛、來之例。段氏既謂四字為韻，又謂側與佑、會與殺，每句一韻。自相違戾。戴曰：「佑，古音夷至切。」

惑　胡國切德韻

服　房亦切屋韻之部

沈之

封之

按沈，直深切，侵韻。封，府容切，東韻。疑不能相協。或下兩「之」字為韻，如離騷「占之」「慕之」之例。戴謂封讀甫歇切，蓋方音。段謂沈封古合韻。江謂東侵借韻。似皆未足信。

方　府良切陽韻

狂　巨王切陽韻陽部

竺　丁木切屋韻

燠　於六切屋韻幽部

將　見前

長　見前　陽部

牧　莫六切屋韻

國　古或切德韻幽部

江曰：「牧，古音明逼反。國，古音古逼反。」

依　於希切微韻

譏　居依切微韻脂部

告　古到切號韻

救　居祐切宥韻幽部

識　職吏切志韻

喜　虛里切止韻之部

悒　於汲切緝韻

急　居立切緝韻緝部

故　古暮切暮韻

懼　其遇切遇韻魚部

戒　古拜切怪韻

代　徒耐切代韻之部

江曰：「戒音記，代，徒吏反。」

補　博古切姥韻

緒　徐呂切語韻魚部

亡　武方切陽韻

莊　側羊切陽韻

饗　見前

長　見前　陽部

以上四字為韻。按莊本作嚴，朱子集注謂嚴、叶五郎反，詩殷武篇有此例。江氏古韻標準云：「此似因殷武詩下民有嚴而誤。」詩本以監、嚴、濫為韻，而不、敢、怠、惶為間句，非韻也。江知朱叶韻之說未安，又惑於殷武之例，彌縫其說耳。殷知江說亦非，又委為古合韻，皆不知其為莊之代字，漢人避諱改耳。公羊桓六傳，謂嚴公也。釋文本作莊，古今人表，嚴先生，史記越世家作莊生，此例甚多。屈賦國殤，嚴殺盡兮棄原野。注，壯也。此亦本為莊字，故訓為壯耳。又如離騷懲、常為韻，常乃恒之諱改，與此並同。

怒　乃故切暮韻

固　古暮切暮韻魚部

佑　見前

喜　見前之部

欲　余蜀切燭韻

祿　盧谷切屋韻侯部

憂　於求切尤韻

求　見前　幽部

云　王分切文韻

先　蘇前切先韻

言　語軒切元韻

勝　識蒸切蒸韻

陵　力膺切蒸韻

文　無分切文韻元文部

按，本作，荊勳作師夫何長，一本，長下有先字，茲從之。以上六韻，古音應畫三部，此竟捏用，前人多疑之，然亦無說。方謂，「勝」

韻與上下「云」、「言」、「文」韻少異。江則僅取「言」、「文」為韻，而略其餘。亦難稱諦當，豈所謂通部者耶。

長　見前

彰　諸良切陽韻陽部

俞理初先生學案（13～16）

鍜工

黟人俞理初，清道光舉人，累上春官不第，性孤介，不諧於俗，讀書箸述至勤劬，而不為時人所稱道。「類稿」雖生前刊布，終未彰顯，歿世而後，聲名黯然。李元度撰事略，竟不為立傳。蓋清乾、嘉以來，樸學方盛，當時鉅儒碩學究心經傳，塗術既明，疑義漸白，其有一、二枝葉，非大義所關，則亦無煩瑣屑附會矣。

俞氏生當其際，不甘為漢學之附庸，是以用其方術，施之史蹟，說者謂以考證法治史，自俞氏始。俞氏既不以經學自限，又不斤斤今古文門戶之見，是以與當時漢學異流，而語必徵實，詞乏華采，又不為文士所喜，矯然獨立，矻矻窮年，不獲生前身後之譽，殆有由也。

余以淺見寡聞，初不知俞氏之學。二十餘年前，讀蔡孑民倫理學史，清代舉理初論婦德之說，以謂百餘年前，即有此識，雖為難能，然仍未之異也。嗣購得「祭巳類稿」，見其持論頗不同於流俗，經傳訓詁，時有新義，然未必能超軼戴、段諸公之上；至史事雜考，乃頗別闢蹊徑，糾正流俗不根之談。若「少吏」、「地丁」諸篇，關係治道；「女樂考」則更藹然仁者之言，固不僅見及男女平等而已；「易安事輯」雪七百餘年來無根之誣蔑，尤稱快意。

此外足為後人治學之模楷者，有二端：一曰「由博返約之方法」、一曰「鉅細靡遺之題材」。蓋其每考一事，援引之書，至數十百種，皆散在正史、野錄、故書、雅記、詩詞、小說，書非一類，事非同時；名由胸有鵠臬，有見必錄，爬梳排比，鉤稽年月，積累時日，乃能證成一義。使初學知札錄之效，而不致枉費心力於空疏無據之文，此其足為模楷者一也；前人所致力者，皆在經傳正史，至於諸子短書，已多不措意，況流俗鄙事、里巷雜說耶？偶有一、二文人筆之於冊，亦視為遊戲小說，不遑精考。俗語丹青，以訛傳訛；陋者信而不疑，學人心知其非，又無以難之，此皆不思之過也。俞氏以考證精神，施之庶事，若「鴉片」、「木棉」、「田名」、「藥量」、「桃符」、「女服」，皆前人所不屑論，而俞氏能窮源竟委，正其訛謬。使後學知日用尋常切近之事，莫不有其淵源，皆應留心考證，不必歆慕經史大業，而忽棄近功，此其可為模楷者二也。

近年以來，新說日滋，治學之標臬，有所謂「科學方法」者；而經史既陳舊，不為人所喜，故所治之學，皆瑣細之至，一竹一木，一獸骨一人顱，皆斤斤言之，動累萬言而不休。求之前人，則俞氏已開其端，於是俞氏之書，遂大為時人所愛好，為之編訂年譜，刊行遺箸，泯沒多年之士，又得晃燿於一時。學之隱顯，固有時哉？抑其學本有足稱歟？

安徽人士，思彰其鄉里，求得俞氏手自校訂之「類稿」原刊本，印影流通，甚盛事也。因展轉假借，並得俞氏「存稿」，翻閱數四，觀其論議，愈服其精湛。凡王藻、程恩澤、張穆諸序，既已發明其為學之精神；而王立中所撰年譜敘錄，列舉優異之點，累累不下十數事，蔡孑民為年譜撰序，又舉兩端，可謂詳盡矣。

雖然，俞氏之學，不可謂不博，俞氏之識，不可謂不高。然時代所限，環境所拘，其所論列，不無迂謬可議之處；諸公志在張皇頌贊，遂匿瑕掩垢，甚或加詞誣飾，既大失俞氏原意，且恐眩惑後生，轉令人疑其表揚之不實。余茲標舉其謬誤諸點，冀與世人共為揚榷；在俞氏固不以一眚而掩大德，且觀過更知其仁也。

俞氏識解明通，於流俗之見，多能糾正；如「男女平等」、「古今疏密」、「哭為禮儀」、「諸種莠言」，皆洞見本原，立論精確，似應無所虧蔽矣。然俗論俗見，流露於筆端，不能湔滌淨盡也。如「彭祖長年」之說，乃大彭氏立國，經歷三代七百餘年，歸之彭祖者舉開國之人，該其後嗣也；因此致訛，遂謂一人之壽，如此其長，展轉附益，異說滋多，雖出雅記，亦何足徵？況漢魏後諸子之注文耶？詞而闢之可也。俞氏不斥其妄，徒以其相傳之古，遂堅信之，惟斤斤然較量七百、八百之間，可謂舍本逐末。

史記楚世家云：「彭祖殷之世，嘗為侯伯，殷之末世滅之。」注：「彭祖後世失道，殷復興而滅之。」其語可謂明白。俞氏引之，而猥曰：「言滅彭祖，非其後世矣。云滅者，彭祖逃去，國絕不嗣。」牽強附會，以證成長壽之說，何其迂謬；又牽引至論語之「老彭」，風俗通之「老聃」。老彭未知何人，其謂為彭祖者，皇侃之臆說，風俗通所說，乃神仙家言，皆未足據。而俞氏信之，是推行俗說，愈益滋蔓，亦何貴矣？（彭祖長年論見類稿十五）俞氏又信堪輿風水之說，以謂「宋仁宗、甯宗皆無子，明孝宗、武宗亦無子，皆緣山陵有水之故。」持論絕可笑。（書宋永定陵事後見類稿十二）又信相人之術（原相上、中、下三篇見類稿十三）。又非無鬼，以謂「易載鬼一車，不曰載空，而曰載鬼，立鬼之名，載鬼之形，是有鬼也。聖人教人無鬼，而祭焉；是以先人為戲也。」又謂「無鬼之論雖辨，聖人所不知，以此說經，尤不可也。（非無鬼見類稿十四）古人以為有鬼，故經傳載之，說經者自不可刪薙而斥言其無。」然世實無鬼，又何可以說經之故，遂謂世實有鬼耶？可謂泥古而不知化矣！而駱君小傳（見存稿十五）、黃大王傳（見存稿十三）於鬼報神祐之事，摹繪如見。而猥云：「自蓋天學隱，儒者習於游詞，始不足與知鬼神之情狀。」（見駱君小傳）不知俞氏亦自蔽於俗見，真不足與言鬼神之誠偽也。又謂「佛經在中國實有驗者。」為誦經免罪一端，列舉多證，不知為載筆者無識，妄有所記，或則僧徒讕言，夸張其教，何足引為徵驗？不知發為莊論，以斥其妄，乃引南史顧歡傳及陳書徐陵傳，以為誦孝經，亦可卻病，以與僧徒爭效，亦何可哂！而王立中乃謂其明鬼誦經之文，尤挾憤懣之氣，亦若俞氏於諸迷信，皆不沈溺，發為文章者，僅攄其胸中之不平，其然豈其然乎？

佛教中觀世音菩薩，普受國人之崇信，閭巷傳說，漸失本真。俞氏有二文：一考其傳略、一考其名義（見類稿十五），累五六千言。大端以趙孟頫夫婦所書刊之傳略為本，以菩薩為妙莊王第三女名妙善，而以胡應麟莊嶽委談譏趙之語為蔽固，雜引中土傳記小說，證觀音為女身，非丈夫身。又合釋典中諸觀音為一人，不復分別，輒為案斷。俞氏知觀音非釋迦一派，然謂其兼通佛法，又護佛法，其說亦非。觀音本梵土相傳舊神，釋迦說法，隨順世間，時稱引之。俞氏不辨，謂為護法，殆為俗說所淆，弗暇深考耳。

至於觀世音名義，本屬誤譯，正譯當為觀自在。大唐西域記云：「阿縛蘆枳底溼伐羅，唐言觀自在也。阿縛羅枳多者，觀也；伊室伐羅者，自在也；舊譯觀世音者誤。」唐代諸譯師皆主「觀自在」義。而俞氏習於俗說，仍以觀世音之譯為不誤，以為「世音」義兼「自在」，含混不晰，殊非考證家之態度，此蓋為俗說所中既深，又不通梵本，稱引雖多，終難得其真相。今世海道大通，西行求法之士頗眾，此類疑義多能決定，俞氏生百餘年前，不及取資於此，偶有闕失，固不必為之諱也。

俞氏博洽淹雅，似不至挾拘墟之見，事乃有不盡然者。俞氏自以習儒言，對於異端，未嘗不嫉視。雖嘗稱釋迦文佛、觀世音菩薩、宗喀巴喇嘛三人者，為深識正慧，似歸依佛教之詞；然此三人，正世俗所崇信，俞氏未能免俗，故從而稱之，非真能於佛法有所得也。苟有所得，殆必不以此三人並舉矣。他文論及僧徒，輒加醜詆，然皆末流之失，不足以謗佛。惟

「釋迦生年論」（見類稿十五），謂佛生年在漢成、哀間，其所據者，以漢書西域傳絕無佛法，後漢書西域傳始言之。又據輟耕錄「元時旃檀佛瑞像殿碑」云：「佛為授記，滅度千年之後，汝從震旦，廣利人天。」鐵圍山叢談：「佛像至宋太平興國中，移於東都。」始在中原。由太平興國上溯千年，當漢孝成時，不知其所據者，皆中土載記小說、或傳聞不實、或隨意命筆，皆不足為典要。此應求之釋藏，釋藏中雖不無僧徒夸誕之詞，為俞氏所不信，然亦應鉤稽參伍，折衷一說，豈可一概遮攔，而轉信中土之小說，毋亦郢書燕說耶？今世談佛學者，多謂佛生周靈王季年，四十得道，八十滅度，約與老、孔同時而較先；諸部異說紛綸，而以此說為近是。俞氏謂此乃僧徒讕語欲推而前之。今俞氏以其忿懥不平之心又欲抑而後之，皆不審其實之論也。又引化胡經以為誠然，化胡經乃道士王浮造作，俞氏非不知之，特不勝其排佛之私，遂不惜退佛於漢代，使生老子後，以便傅合其化胡之幻蹟，以俞氏考訂之精，似不能謂為無識。特尊儒衞道之心盛，欲繼孟子、韓愈後，以盡攘斥異端之業，匿情作偽，陷於巨謬不亦惜哉！

至若天主教者，其來更晚，其說愈怪，靈異之蹟，未箸於民間，微妙之論，未聞於學士。儒家視之，尤下於佛教數等，當時詆斥之者不一而足，既不明其情實，意為抑揚，多不中肯棨。俞氏有「天主教論」（見類稿十五），引佛經「西域有叢神，謂之天祠。」意即天主。又謂其先立教者為「阿羅訶」，即佛經外道之「阿羅邏仙人」，不知此仙人乃佛時外道，耶穌則後於佛者五百餘年。俞氏前謂佛生漢成、哀間，故附會佛、耶同時，而不知其決不然也。又謂「此仙人於佛成教時，已為王，領羅刹，立天主教。」蓋俞氏意謂羅刹即俄羅斯，俄人信天主，遂展轉附會之。不知羅刹乃佛家所詆醜惡誑誕人，俄羅斯立國於元末，可謂風馬牛之不相及，徒以清初譯俄羅斯為羅刹，此自賦以惡名彷彿其詞。即俞氏所常謂之還音耳，豈可以此牽引為證？而俞氏堅持其說，謂正名羅刹國者，今之俄羅斯，且詆閻若璩為讀書不明理。（此說見存稿六，俄羅斯長編稿跋。閻氏潛邱劄記謂「俄羅斯必非羅刹，譏京師貴人為不考。」其說與俞異，故俞轉譏之。）何其傎倒也？又據通典波斯火教，末摩尼法及大秦寺立寺年，而疑景教碑者不實。碑文有七日一篇語，謂天主教兼摩尼法，此緣所引據者，中土零篇斷簡，昧於西方宗教分合之源流，輒加裁斷，難免誤會耳。

耶穌磔死十字架，事雖不美，而其蹟甚顯，歐洲各國所盡聞知，莫能諱言。景教東來，欺中土不知其事，遂掩覆之，造為「判十字以定四方」之說，實讏言也。而俞氏信之，且引「賢愚因緣經」及「西域記」為證，轉以磔死之說為不足信。今世海通，耶穌之事蹟大白，俞氏懸揣，竟無一是。然此不足為俞氏累，但佐證既不具，即應慎於立言，今輕肆詆誣，失考證家之態度矣。蓋其惡之深，不覺其詞之甚耳。（天主教論末段，謂「天主教洋人自言知識在腦，不在心。蓋為人窮工極巧，而心竅不開。他部人入其教，亦無心肝矣。」其說絕可笑，而俞氏言之如此。蓋腦筋主思之說，中土所絕無，俞氏以考證家，求之故書雅記，不得，自不信其言；而不知以人體實物為驗，此又考證家之通病，不必專為俞氏咎也。）

俞氏有二善，為蔡孑民所稱道：「一、認識人權，舉節婦貞女諸說及女樂考等，以為無一非以男女平等之立場發言者。二、認識時代，以俞氏論學當分古今，蓋天疏，渾天密，然說經宜用蓋天，不可以後世誤解古人也。列舉多條，謂其詳盡透澈。」蔡氏之言是也，惜僅舉其善，而未兼明其失耳。蔡氏自謂幼年即服膺俞氏書，寢饋有年，故好而忘其惡耶？且所舉兩端，正與時人之論調符合，足以助之張目，故樂為稱引耳。實則所謂男女平等之意，亦僅謂「婦女可再嫁」、「樂戶應革除」等數義而已。其謂「息夫人不言，為守心喪。」固已迂闊，而「姬姨篇」（見存稿四）及「妒非女子惡德論」（見類稿十三）皆明言妾媵，稱美女君，未嘗斥言其非，主張男女平等者，固如是乎？

至論天文測算，力主蓋天，明知蓋天之粗疏，然仍主之，謂「不得引後證前，失其本旨。」其意不過以為「古人已非，不得掩其非而沒其意。」。彼曆家考古，喜以新術衡舊說，而譏其譌誤，誠如俞氏所譏，不知古今之變。然天象與曆法，本為二事。「天象」測候而得，當順天而謹記之，無所謂疏密也；「曆法」為推算之用，不厭求密，疏則不免先時後時之失。古代經傳既各用其時憲法，疏密有間，誠如俞說，不宜引後證前，失其本旨。然經傳所載天象，若「中星」、「日食」、「星孛」等，本由當時測候，古曆既疏，必有合有不合，自應以後世精密之法，推定其真妄，又烏可各用其時憲法，仍其疏陋耶？如「堯典」或以為非虞夏時書。倘以精密之法測知其「中星」年代，則真偽可斷矣！禮記「月令」或謂為周法，或以為即呂覽之十二紀；倘以精密之法測知其各月星象之年代，則為周為秦，又可斷矣。倘謂解經傳宜用蓋天，其術既疏，必難定其確否，此古今來所以聚訟莫決也。又如春秋日食三十餘，皆當時候簿所記，非同推算之有誤，而歷代疇人，各以其術推求，或合或不合，殆其術尚未密耶？倘謂春秋時事，宜用蓋天，而舍後世精密之曆法不用，則合與不合，終古莫決矣！故解說曆法，宜用俞說，分別古今，不可相亂。至考天象，則古今有常，自以精密者為貴。此二者宜知其辨。蔡氏惟知贊頌其是，而不知辨白其非，何也？

余讀俞氏書，服其精細，有功於學術，而不無疵累。說者與俞氏以師友鄉誼，多張皇讚嘆，冀遂其表彰之意；或又以其私心，曲為附會，助其一己之新說張目，皆不肯頌言其失。實則時會所限，佐證未周，其致誤有由，固不必苛責；然亦不可謂之不誤，轉曲為之諱也。考證精工，在於博瞻；而思想正確，在於慧覺，本為兩事。每觀博雅之士，立論或頗迂腐，疑出兩人，職是故也。俞氏論人權，知男女之應平等；而論知識，則謂主腦者心竅不出。又深信六壬占經相術推命，終至持有鬼之論。而自謂「通人不專家」，誠哉！所通至多，中失所主，遂無抉擇耳，惜哉！余恐世之讀其書者，感於其鄉人之論，愈益無抉擇，故為發其間，豈好為苛論哉！

記萬古愁曲子（51、52）

賡言

萬古愁曲子，孤憤之作也。全榭山謂其「瑰瓌恣肆，於古之聖賢君相，無不詆訶，而獨痛哭流涕於桑海之際；蓋離騷天問一種手筆。」（見全氏外集卷三十一，題歸恒軒萬古愁曲子。）余嘗喜讀之，每一再過，輒覺心胸鬱抑之氣為之傾瀉，顧以未得作者主名為憾。通行各本頗多譌脫，未為完善，思加校訂，限於見聞，未能廣為搜輯，無以下筆。先後得吳瞿安寫本、葉德輝刻本、徐崇恩排本、又滿樓趙氏刻本。趙本與吳本大同、葉本多譌脫、徐本尤遜。頃又從侃如處得沔陽盧氏刻本，互校異同，頗有得失可言，作者主名亦略得而辨，乃為文以記之。

榭山初不能定其何人所作。當時或以為詎翁、或以為道隱、或以為石露，皆鮮證據。惟魏勺庭微君及其事於恒軒壽序，故榭山直題為歸化作，並取而跋之。故以此曲為玄恭作者，以叔子為最先，而榭山證成之。實則玄恭生當鼎革之際，流竄兵間，老死無子，遺文散佚，未知集中收此曲否？今集中載此曲者出後人所輯，均據魏、全二氏說。葉、吳、趙說同，亦非別有他證。惟虞氏刻本獨異，名擊筑餘音，所據者為黃岡劉氏所藏舊鈔祕本，及江安傅氏所藏樊樊山校訂本，皆題熊開元著，據以刊行，而謂歸氏之說為誤。其證有三：一、熊為僧，玄恭不為僧，卷末二闋述參禪語，其為熊作無疑。二、明史謂熊為僧於蘇州之靈巖以終；鈔本小傳謂卒於花山、葬於黃山，與毛西河檗菴和尚塔院碑合。三、當時此本流傳，人爭鈔寫，歸氏錄副，自至意中（見盧刻本盧弼跋）。又謂叔子文祗言有長歌，並無一字及擊築餘音。長歌與詞曲絕然兩事，不能混為一譚（見盧刻本黃岡劉紹炎跋）。按前舉三證，皆未可信。第三證固推想之詞，本無堅據，第二證雖足證明史之誤，然毛集本非難見，安知非作偽者造此狡獪示人以可信耶？順治二年乙酉崑山縣丞閻茂才攝令事，下薙髮令，士民不從，噪於縣，縶茂才，歸氏白眾殺之，遂嬰城守。事定，究前事，歸亡命，薙髮僧裝，稱普明頭陀（見同治蘇州府志引道光崑山新志）。是第一證之說亦破。至魏叔子所撰壽序見其集卷十一中，略云：「吾年三十時，聞震川先生有曾孫莊，抱高節，負才使氣，善罵人。既有傳長歌至山中者，凡三千餘言。上溯鴻濛，下及季世，驅使神仙鬼怪之物，呵帝王、笞卿相、踐藉古之文人；恣睢佯狂，若屈平李白沈冤醉憤無聊之語。客曰：『此歸玄恭莊所作。』予驚怖其人，疑不可近。」觀文中所敘長歌內容，與萬古愁曲子正合，字數亦約略相近，其為此曲無疑。不曰「曲」而曰「長歌」，又不顯言其名者，避時忌耳。否則，尚有何歌足當叔子所品目哉！魏、歸同時友善，且親為文以壽，萬無誤以他人之曲為歸作之理。故榭山初雖游移其詞，未敢決定，及見魏序，遂定為歸作而跋之，知魏言之足信也。沔陽盧氏僅據一不可知之舊刻，即定為熊撰。則榭山所舉謔翁、道隱、石霞皆可爭此著作之權！又桃塢謝氏所刻題王思任季重著，皆考之未審，無確據可徵。按明史，魚山以建言貶調，久不遷，頗鈌望。嘗詣周延儒，延儒不聽，遂大慍。兩次請見論事，皆以延儒在旁，不敢盡言。上命退而補牘，終受吳昌時請託，止述奏辭，不更及延儒他事。全屬私心瞻顧，卒為思宗所怒，下獄遣戍。會京師陷，唐王立，魚山仕於閩中，亦無所建樹；唐王敗，為僧以終。似魚山氣節未見可稱，當時又不以文學著，所著檗菴別錄多禪家出世語，與此曲迥非一手。玄恭一生，磊落縱橫，有歸奇之目，其痛哭流涕於桑海之際，自無足異。愚意此曲，當以歸撰為定論也。（又按樊樊山、劉紹炎、盧弼皆鄂人，故以為熊作。吳瞿安、徐崇恩、趙學南皆吳人，故以為歸作。葉德輝雖湘人，其先亦吳籍。則歸、熊之爭，皆鄉曲之見，余雖主歸撰，實公言無所偏也。）

萬古愁曲子一名擊築餘音，凡曲二十闋，起結各七言絕句一首，凡二千數百餘言。葉本、徐本各有缺佚，有整段全缺者，殆當時傳鈔，各以忌諱刪節。吳抄、趙刻均出長洲黃鈞校本，故無甚同異。盧本亦善。今以趙、盧兩本互校，同異亦不少。又以趙本為善。秋老初寒，小窗無事，命筆記之，亦可供愛讀此曲者之參證也。

起詩：悲歌擊動哀音，盧本作知音。莫嫌變徵聲悽咽，盧本作悽切。

曼聲引：太極混元苞，盧本作混沌元苞。挖半掌兒蛙涔道，盧本作蛀泠道。樊樊山謂蛀泠當是青蛉，盧弼謂或為蹄泠之譌。按兩說皆非，當以趙本為是。江漢千支入海潮，盧本作千波，誤。

入拍：斷甚麼柱天鰲，盧本斷作斲，誤。架甚麼避風巢，盧本作避風潮，誤。象意裝成虎豹韜，盧本作匠意。葉本作匝地。樊云，匠意勝於匝地。蓋六韜不能言匝地。按象意尤勝。

放拍：詢四岳，盧本作命四岳。只落得，盧本作只博得。

前調換拍：崇伯子股無毛，盧本作脛無毛。盧云：「尸子禹脛不生毛，作股者誤。」寒家小吏，盧本作小㪽，按小㪽不詞，不及趙本。隻首孤懸太白高，盧本作太白搖，不及趙本。因果難逃，盧本作因果昭昭。

合拍：秦邦夜半催書到，盧本作催兵到。搖搖行邁忝離歌，盧本作悠悠。按搖搖用中心搖搖語，似勝。

變拍：秦關楚嶠，盧本作楚蹻。

凱聲奏：函關氣正豪，盧本作羸蛉氣正豪。鐫不盡秦官號，盧本作秦宮號。怎雪得六王泉下心頭惱。盧本雪作洩。

鈞天奏：皋亭山明欺著孤見貌，盧本皋作高。

重調：蜂蝎跟淘，盧本跟作濤。

龍吟尾：把二百七十年的舊神京，盧本七十作四十，誤。

蛟龍泣：坐長信的隻身兒，盧本坐長信的下有懿安后三字。

前調：北人志驕，盧本志作氣。不是漢人年號，盧本漢人作大明。

前調：打糧，盧本作打量。

歸山早：跪進精渾醴，盧本精作清，樊謂清字勝。

鮫人珠：那乞丐兒，盧本作那小吃兒，誤。

大拍徧：臥仙寮佛寮，盧本仙作僧，誤。恁便是，盧本作任便是。俺朱先生，盧本朱作老。並不來了，盧本作再不來和你們胡廝鬧，盧本勝。

文始篇（35、37）

根巖

說文敘曰：「古者庖犧氏之王天下也，仰則觀象於天，俯則觀法於地。視鳥獸之文，與地之宜。近取諸身，遠取諸物。於是始作易八卦，以垂憲象。及神農氏結繩為治，而統其事。庶業其繁，飾偽萌生。黃帝之史倉頡，見鳥獸蹏迒之跡，知分理之可相別異也。初造書契，百工以乂，萬民以察，蓋取諸夬。言文者宣德明化，於王者朝廷。施祿及下，居德則忌也。」

蓋物生有象，象而有滋，滋而有數。表象始有畫卦，計數始於結繩。畫卦結繩非文字也，而文字之理寓焉。故說文字者託始於羲、農也。夫寄偶相生，畫成卦象。以類萬物之情，以指宇宙之事，不必求其形肖，而執簡馭繁，正古聖人寓其哲理之大用，未可即謂為文字也。而鑿者拘之，屈詰顛倒，以謂即後世文字之祖（劉師培、趙曾望等有此說）。卒之，一、二可通，大體莫達，亦云拙矣。又有西人倡為異說，謂中國人種西來，八卦者即楔形之字（法人拉克白里說）。不知稽諸年歷，先後不侔，固已難可比傅（巴比侖造楔形字，至西元前二一四七年，當中國帝摯時，能與伏羲時代附合乎？）。況卦爻皆横，綜以陰陽；而楔文交午，式本不同。世人信其讕言，賢哲不免（劉師培等和之），無亦好奇之過耶！結繩之制，不可得而考矣。然塞野之族，未嘗不可借觀焉。如苗蠻（苗民有結繩之事，見嚴如煜苗疆風俗考。）、秘魯（秘魯土人有結繩法，日人某涉史餘載之甚詳。）、琉球（見柳翼謀中國文化史。），雖在近代，猶存其俗。經緯單複素采，以示其別。有六書指事會意之義，固不僅鄭氏所謂大結小結而已也。

特結繩者必託於繩，猶有所待，倉促不得，則失其效。固不如圖畫之便易，持荻畫地，隨處能為，書契代作，非無由已。雖然，畫卦結繩，其事終簡。而書契文字，為工絕艱，非可一蹴幾也。

其演進之道何由？曰，文字未造，圖畫先之矣。草昧未啟，神道為隆。報德繪功，鑄鼎象物。瞻仰崇信，群氓以馴。上之治下，於焉利賴，所謂夬揚於王廷也。氓庶達意宣情，冀其傳久遠，以濟語言之窮，亦莫不施行，而圖畫之用漸溥。特其制絕陋，未足與語言相麗。觀近世未開之民，其所用符識，蓋此類也。積日既久，愈審其效，使用既繁，代趨簡易，象形文字由茲起。庶事日滋，則象形有所不足，濟之以指事，事之無形者也。彼是相形，曲喻其意，文字非圖畫矣，而文字未始不原於圖畫也。故世本稱黃帝之世，史皇作圖。史皇者倉頡也，而謂其作圖者，則圖乃文字之舊名已。

易繫辭曰：「河出圖、洛出書，聖人則之。」亦謂圖畫書契耳。後世造為九宮五十五數之圖，方技家言，古之所無（胡渭易圖明辨言之極詳）。故上古文字號曰圖，降而為書契。夫畫成其物，故謂之圖，此易知也。

其名曰書契者，何也？鄭玄曰：「書之於木，刻其側，為契。各持其一，後以相考合。」此質劑之用，所以昭信，故自其昭著言之，則曰書（說文，書，箸也，段氏謂其昭明。）。自其要約言之，則曰契。自後世言之，則曰文字。此皆迫於人事，眇合自然，非一手之烈所能為。而世傳倉頡造書。意者黃帝之時，四征不庭，幅員遼闊，群族並棲，欲使天下合符，共遵楷式，宜有興作。倉頡為史官，職掌書名，其時雖有書契，特人為符約，家造徽識，殊形詭製，難於通曉，倉頡乃參伍而統一之，使適於用。故荀子謂：「古人好書者眾矣，而倉頡獨傳者，壹也。」謂統一也。

明於此，則知倉頡之前，非無書契，而朱襄沮誦之事，不為誣讕。倉頡整齊統一而後，易名曰文字。故說文敘曰：「倉頡之初作書，蓋依類象形，故謂之文；其後聲聲相益，即謂之字。」則文字者，後世之定名，此其徵也。

倉頡，說者不同。一作蒼頡。或云黃帝史官，或云古之王者，或云在神農、黃帝之間、或云至炎帝之世、或云倉頡為帝王，生於禪通之紀，則愈久遠矣，其年代莫有能定，學者惑焉。考古之王伯顯人，其稱號或累世循用，故諸書倉頡，不為一人。凡有訂文之功者，皆得其名。故史官帝王，兩不相害。凡百興作，莫不如是，求一人而實之，則鑿矣。而法苑珠林云：「古造書凡三人：長名梵，其書右行；次名佉盧，其書左行；少者倉頡，其書下行。」此則釋徒讕語，冀挾外學以少中夏，不足信也。

中土文字以萬計，孰為倉頡初文，固不可詳知。許慎之說，謂其時文字止有指事、象形二種（說文敘段氏注說如此）。或又謂諸獨體為倉頡初文。雖然，說文所載獨體蓋寥。倉頡作書，勢不簡約若此。而韓非之解公厶（見韓非子五蠹篇），則倉頡作書，已有會意之法，有會意亦有形聲相合之字，雖形聲之字，多出後來，未必當時絕無此類。如羲黃之世，久有江河豈得祇書為水哉？古時字少而能周於用。則叚借託事，自古已然。在倉頡時，六書必已略備，特繁簡多寡非後世比耳！或謂六書始於保氏，徒以二字始載周禮，用相傅會。然經典九數之名，亦始保氏，則保氏亦造九數耶？意者古有其實，周定其名，非倉頡時遽無六書也。

題陋軒詩集（42）

隨伯子

陋軒詩，清初即有數刻，今均不易見。今通行者為泰州圖書館本，即此本也。正集繆氏刻，續集夏氏刻。然繆刻分六卷為十二，失原編之意；夏刻刪削遺稿過半，僅存百餘首，餘詩遂不可復考，皆非至善。且以清廷忌諱，缺字頗多，而倉促難得善本以為校讎。須公於揚州坊間得丹徒楊氏民國九年新刻本。楊氏自謂得信芳閣藏六卷本，殆清初方氏刻；又獲覩夏氏原鈔本二卷，合而刊之。凡泰州本缺字，楊本皆不缺，又多詩一首，此皆楊本佳處。然楊本亦自有其譌字。須公合兩本校讀，互為訂正，余假來移錄，泰州本之缺憾，遂皆彌補，為之一快。楊本有鄭方坤所撰小傳，劉孟瞻所撰續集序，此本無之，補錄簡隙。別有時人陳重慶等題詞，非刻本源流所係，不復錄。二十一年秋，伯子記。

南都盋山圖書館藏陋軒詩，有陳燦後序一首；燦字倥侗，與野人同里。於乾隆間修陋軒詩板，為之印行。今世傳為方板本，殆皆陳修本，書賈去後序，以眩人耳。此本即無後序，則知者鮮矣。伯子又記。

江先生增訂本「說音」意義（94～96）

隨伯子

江先生名謙，字易園，婺源人，慎齋之族也。先生稟新安山川之氣，承先世之遺風，幼而穎悟，鄉里交稱。稍長，東遊金陵，即以經術文章受知於南通張氏，時張氏方以實業教育為己任。凡人有一藝者，咸羅致之，以收其用。以先生學術湛深，一見延之，使教授南通之師範學堂，旋聘為校長。於是先生遂從事教育事業，循循善誘，受其教者，莫不悅服，豈惟學術之足以饜人！而其諄諄焉，誠篤之容，固已感人於不覺矣。

先生從事教育前後凡數十年，弟子徧於大江南北，中間嘗一長江蘇省教育司，尋廢司為科，先生去職。頃之，長南雍。先生體羸而力學不休，又以南雍草創，籌畫甚勞瘁，至是遂病腦，居常怔忡不甯。南通張氏仍留先生兼理通校事，奔走兩地，愈益不支。僉壬新進又復齮齕其間，使不克行其所說。在南雍二年，遂謝去，返南通，旋養疴滬上。病中時讀內典，以寄其身心，遂皈依淨土為居士，自是家居不復在位，時時以佛說詔人，而先生亦垂垂老矣。

先生幼而究心經學、理學，故能兼讀漢、宋，無所偏倚，於聲韻尤有專詣，皆其先世慎齋所循之涂術也。乙丙之際余至南雍，獲聆先生之訓誨，乃知樂學之義，與文質之辨；得以稍稍植基培礎者，皆先生啟之也。先生雖不任課讀，而以其暇講授聲韻，先生以為治文字之捷徑，讀古書所不可不知。深惡世人作文尚氣勢，比之吹泡無實。欲以此挽救世弊，守之篤而持之堅，諄諄焉教人如不得已，先生之篤於所學如此。其時所講者即說音之初稿本也。余質性駑鈍，於學術未有所知，徒沈溺詞章，莫能自拔；聞先生之說，心焉好之，乃曉然知師嶄向。陳、顧、錢、段諸家之書，遂為日常所繙閱。通轉分合譌變紛拏之故，鰓理漸明，益知先生說音實足以殿諸家之後，而補其不備。雖餘杭章氏成均圖，例證賅博，猶不免按式布算之譏；惟先生之說，易知易明，有以簡馭繁之妙。初稿本僅列古今方音通變表稍附說明，要義往往存於口說，不親聆者或不能喻，余不自量，輒記所聞，為說音疏義一卷。

時先生已謝病，絕人事，日諷誦內典，以休息其身心，文字結習廢棄久矣。未克親請質正，未知失先生意否？且先生嘗言「天然聲母全出天籟流轉，不事文字，若拘於文字，便多障礙，非真知我者。」故疏義一稿藏在篋衍，未敢示人。後聞同舍生有記先生之言刊布行世者，日報雜誌中亦往往有人記錄先生說，然每異於余所聞。此八儒三墨所由別異歟！今重訂本行世，亟求而讀之，較初稿增益不啻倍蓰，其所載皆前所聞，恍如二十年前坐函丈時也。而人事遷貿，學殖荒落，衰病乘之，久疏典籍，又何足以傳先生之學哉！三復此書，為之慨然！

先生說音純主天籟，聲母有表，吉、鴿至味、勿，凡三十四，備矣。

而韻母無之，僅明四等之理。蓋先生以前人論韻部，分合已詳，章氏成均圖具在，無以易之，因不復論，而專詳聲之通變。韻母不列表者，以此也。否則應具翁、以等十部及其四等矣。

先生定天然聲母為三十四，既無見、溪等「不除韻尾」之弊，又糾正其剛柔省併之誤，今之注音字母，正用此意。然剛柔相配多少尚不盡同也，考先生剛柔之說，取義亦不一。「吉之與鴿」、「乞之與刻」、「義之與聶」，發聲部位同，而有磨擦爆發之殊，是以「發音方法」分剛柔也。「吸之與黑」已不盡同，「一之與屋」韻有齊合，是以「二等」為剛柔矣。「栗之與肉」上純舌，下帶鼻，相為剛柔，又自不同。「抑之與二」則又「一韻一聲」，而相為剛柔矣。齒部六母則以正齒、粗齒為剛柔。唇部剛柔最難辨，似以清濁為準；然清濁乃韻之事，先生亦以之歸六轉中，不知又何以入此也。夫「一陰一陽，一柔一剛，乃自然之妙用。」

一旦衡以發音之部位與方法，輒有難曉如此。此先生所謂「吉、鴿、乞、刻等字，須由明者口授。」非文字中所可摸索者已。

舊說開合各有四等，其分別苛細，非各韻所能盡具。先生以齊齒為開之細，撮口為合之細，併八等為四等，簡約符於天籟，然尚非先生所創獲。松石之、張、真、中、珠，融齋之、挨、意、烏、于，固已開其端矣。至若六轉之理，則前人所未道，實足以「辨清濁」「通古今」，此先生說音之特點也。北人無入聲，殆與古合，然不辨清濁。普通一字四聲或五聲，亦僅平聲有清濁，其他上、去、入則無之。或謂五嶺以南有能具八聲、九聲者，是平、上、去、入皆分清濁，且有時更羨餘也。斯誠後人舌本調利，析及毫芒，非古人木強可比。然入聲閏餘，本不應列在三聲後。是南人之八聲、九聲，應以前六聲為一系，後二聲、三聲別為一系。而此別系古皆分在三聲中，是有前六聲，而音已備，先生六轉之說，殆不可易矣。

六轉者：平清、平濁、上清、上濁、去清、去濁也。如東字六轉，為「東、同、董、動、凍、洞」；都字六轉，為「都、徒、堵、杜、妒、篤」；皆清、濁相間。吾儕生居江、淮之間，清音多而濁音少，對六轉中上、去四聲多不別；即有別者亦讀濁去為入聲，非真能發濁去聲也。欲習六轉者，首宜辨清、濁，斯則口耳之責，非目治者所能為力也已。

先生見「世之習切音者苦，讀累月而不能通，老於此者，疑似清、濁之音，亦難正定。」乃創為「四合存二」之法，可謂易知而易能矣。如「三」蘇甘切，析蘇為「絲烏」，析甘為「鴿安」，（按鴿應作革，乃與吾鄉音合。先生所舉天然聲母以鴿代注音字母ㄍ，知先生讀鴿正作革音也。）上省其韻，下省其聲，則所存為「絲安」；絲安相合，正得「三」音。此稍讀異域文者，類能知之。而前人立表熟讀，縱橫標射，其事甚難而易誤，孰若先生之法簡而合理哉！

古今方音變通聲類表，乙卯春天津之講稿也；音讀訓詁方言通轉法，乙卯秋南雍之講稿也；古今韻異讀表，庚午重訂所增也；此三篇者，先生說音本旨之所在也。先生嘗謂：「所說與昔賢不同者：其一、訓詁通轉以聲為本，而韻次之，以聲親而韻較泛也。」又謂：「我國學者慣習詩賦，疊韻易明；至於雙聲，往往忽略。段孔章之說韻至矣，而雙聲之用闡發未宏。今方言互異，亦皆韻變而聲不殊；故知聲可以知故訓方言之根。說文敘『建類一首』，建類可兼賅聲韻，一首必專指雙聲。」此表專為闡發聲母之用，故先生向日講授，皆專談聲母，而此三篇其本旨也。

其論聲之通轉，有同紐，有旁紐，有近轉，有旁轉，此正則也。此外閩人讀「非、敷、奉」入「曉、匣」母為「希、胡、混」，則輕唇縮入淺顎。又舌上舒為齒音，齒音縮入舌上，舌上混入深顎，亦為出軌。然古人互訓，亦間有斯例，此其論聲轉軌術之大概也。夫古無輕唇，錢氏之說也；娘日、歸泥，章氏之說也；各有啟明，而未成系統。且「出軌」、「特例」亦未有能知者。先生獨致力於此，集雙聲學說之大成，與韻部諸說，若峙雙峰，有功學術，不其偉歟！

先生論古音可謂別通新道，精深而宏通矣。而其立說之態度，尤有過人者。其一，不主復古。若顧氏以「汀萌」見譏，此復古之蔽也。先生之論統一國語，以京音為主，而以癖古之士為不然，此其達也。其二，以方音證古，各家論古韻分部，大率以為今韻不同，而古韻則一致。先生謂：「古亦有雅言、方言之殊，詩所謂以雅、以南是也。至於古今音不同者，古今雅言之不同耳。古今雅言，今降為土風矣。如錢氏所證明之古音，不過今黃河、揚子江流域人所不習。若閩、若粵、若江西撫州，則依然古讀音，而不自知其為古；小兒初學語時即如此，彼豈知古音者耶？」又謂：

「今山林偏僻之地，交通困絕，尚能保存文獻之遺，然已降為土音，不復熟於當世學士大夫之口耳。」此以方音證古，為考古音者得一確證。前人所識為目治，不能得諸口耳者，至此當不復致疑，亦可謂不薄今人愛古人矣。

古今韻異讀表者，庚午所增也。先生之書以發明聲轉為主，韻部非所措意，故向日講演每每從缺。然書名說音，而僅詳聲母，未免偏而不全，故重訂本增此表也。韻部之說前人詳矣。大抵前人分部簡而後人分部繁，近有析至二十八部者。喉吻開翕，其度有限，今人所能別者，未具如是之多，而謂古人拙樸能之歟？是則分至二十八部者，毋亦文字考證之事，非喉吻所知矣，正恐分之愈細，轉失真也。先生論韻無新奇可喜之義，選用顧氏十部說，而以四等緯之，韻亦備矣，未可以其易而忽之也。

中外音通訓表者，先生欲證聲轉之理，因而極之於異域也。雖然，先生誤矣！夫中外語言，本非一系，變遷遞嬗，其故甚繁，未可以一、二音訓偶相符合，遂可附會也。世界語言，其與中土有關者，若朝鮮、若日本、若安南、若苗傜，皆受我文化、用我文字，其語音有可相證明者，無足怪詫。若蒙、若藏，雖隸我版圖，恐其語系尚有未能混一者，況泰西絕域、英倫之語言哉？先生乃欲此而同之，雖列舉百數十字，亦皆歸之偶合而已，烏足為通轉哉！其世界大通，無間文野之語言，惟呼父、呼母，以及疾痛、歡娛諸天籟，聚之恐不足十名耳！先生苟欲究通中外，當就各系語根，窮其流變，比其異同，或將更有新創。區區英語後世之音，未足為例，惜哉！此篇不作可也。

零硯齋讀書記（10、11、20、21）

隨伯子

一、復堂日記八卷。

仁和譚獻著。獻初名廷獻，字仲修，號復堂。同治舉人，官含山、合肥等縣令。年向六十，致仕，歸西子湖上。

張南皮者，獻舉主也，招長兩湖書院，著書甚多，有復堂類集。時承方、姚末流，文漸茶弱，獻主駢、散不分之說，尸祝容甫、定庵，遂成風氣，雖足以振起桐城之弊，而亦失其清真宛約之趣。

此日記乃其緒餘，端居隨筆，無子目先後，略以時次，談藝者居其六、七，亦間載山水交遊之樂。起同治元年壬戌，迄光緒十七年辛卯，凡三十年，而復堂亦年垂六十矣。

其每讀一書，必求宋、元善本及訓詁考證之定說，以為參校。用力既勤，資稟亦敏捷，不數日即盡一書。迄今譚氏校本，猶為藝林所寶愛。清季同、光間，學風已不逮乾、嘉，然猶有陳蘭甫、劉融齋等主持壇坫。復堂以風塵末吏，亦能不廢鉛槧，搘柱其間，今猶可窺見老輩風流，思之令人神往。

二、籀廎遺文二卷

瑞安孫詒讓著。孫氏為清季東南大師，所著周禮正義、墨子閒詁兩書，為畢生精力所注，足以掩蓋前賢，而無媿色。盛年頗有用世志，昌言更制，為舊鄗所甚，杜門家居，搜輯鄉里文獻，創興學校，有益地方甚宏鉅。

其專著次第刊布，而雜文未有定集。卒後，其家為編逑林十卷，行於世。然遺篇往往間出。邑人楊嘉、陳準先後捊錄，凡得文一十八首，詩二十八首，詞二首，釐為二卷，即此本也。

李笠為其撰序，謂：「逑林非先生手訂，體例舛駁，若謝天申贊、福甯鎮總兵事狀，文備應酬，濫以入錄，正式學術論文，反在屏棄。」亦若述林一書，其編纂至為妄謬者。然遺文所收，僅三十餘首，除瑞安縣志局總例、採訪溫州遺書約等，稍關學術，其餘亦何非酬世之作。雁晴所言，可謂厚誣他人，妄自標榜也已。大抵鄉里後進，寄慕先輩，雖其緒餘土苴，莫不寶若鏐琳，刊布流傳，不能自已，其表章文獻之意，未可鄙視，要與其人之學術無關耳。

三、傳經室文集十卷、賦鈔一卷

朱駿聲撰。豐芑先生經術湛深，撰著宏富。道、咸間最為老師。說文通訓定聲，以嘗進御，故行世最早，而遺書未刊者尚多。此集乃其孫師轍所輯，嘉業堂代刊者也。

首經說、次序跋、次傳記、次雜說，雖僅百餘首，而考證訓詁，頗有益於六藝；誠經生之餘業，非文士所可企。第八卷四首，乃孔、孟、李、杜等傳，參考舊說，別撰新篇，有類於近人學術評傳，為前此所未見，頗開人神智。惟說文通訓定聲既行於代，而集中仍錄其自序及聲母千文，占一卷之多，未免煩贅。又如請期報幣後啟、孔方傳，皆近戲作；毛穎入集，前人猶或譏之，況朱氏本以經藝著，而登此類，為不倫矣。所記雜事，若宋助教、劍俠、風霾等文，見解皆不免迂陋。經生老儒，大抵如是，知訓詁考證，縱極精審，終是文字比勘，與其人之思想無與。賦鈔一卷，皆近體；清代翰苑考校，專擅於此，功名之士，莫不究心，而編集者多屏勿收，此附卷末，知其未能割愛。

朱氏世篤其學，有聲東南，子孔揚，字仲我，著有中興將帥列傳等。孫師轍字少濱，清史稿中，藝文志即其手訂云。

四、藝概六卷。

劉熙載撰。熙載字伯簡，一字融齋，江蘇興化人，清道、咸間老儒也。世變之後，國是陵夷，士夫兢談經濟；乾、嘉漢學之風，寖變而衰。先生主講滬上龍門書院，融和漢、宋，不立崖岸，將以是啟導後進，使歸於中庸。一時東南士夫，以其沖謙恬退，莫不矜異，推為大師。於經史音律，咸有發明。此藝概六卷皆經史以外諸雜說也。

凡分文概、詩概、賦概、詞曲概、書概、經義概六種，每概一卷，而多寡至不均齊，以文概最多，書概次之，經義概最少。除經義概論八股文，今姑置不述；餘五概實分二類，前四概皆屬文學，劉勰雕龍之類也；書概論書法，孫過庭書譜之比也。以一書而兼論文學、書法，則又與包安吳藝舟雙輯同科。衡以經史鉅著，固非其倫，而近來文人好通論文學，徒作唐大之詞，廣徵異域，無一心得，泛而不切，持較此書，不亦媿歟，六概所論，皆有精語，初學讀之，尤足開悟也。

五、觀堂集林二十卷

王國維撰，烏程蔣汝藻密韻樓倣宋聚珍印行。國維字伯隅，一字靜安，號觀堂，海甯人。幼而篤學，兼治東西文字，哲理諸科，傳譯歐人書頗多，繼而致力詞曲，著有人間詞話、宋元戲曲史等。時上虞羅振玉以教育之說，號召東南，又得鐵雲藏龜，自謂精於考古，君既資生於羅，受其誑誘，遂盡棄所學，而治國聞。經史舊說，不可通者，君壹以新術理董之，專精審篤，其所獲乃大過於前人。

凡所糾正，諸經解、殷周古史事、西北地理及文字聲音之學，不下百數十事。羅自以受官清室，鼎革後，高隱市廛，君既厚密於羅，無以自別異，編髮不剪，若遺老焉。英人哈同禮致愛儷園中，俾得從容著述。晚而教授北京大學及清華園，承學之士，靡然從風。十六年廣州軍興，六月入湘，氣吞幽燕。君憂懼，自沈於北京之昆明池以死。當此新舊學術絕續之際，驟失宗匠，此天下學人所共哀也。君死後，弟子輩輯其遺著，為王忠慤公遺書，凡四集，數十卷，專著咸入焉。然此集林為君生前手訂，十分之見，多具於此矣。

六、世傳王弼本老子。

多為河上公本所亂，致失其真。此淅江局刻，以華亭張氏本為根據，參以各聚珍本，別家所刻，殊不及此。然以釋文校之，每每互異；又經注亦時參差不合，知尚未能復輔嗣之舊。每思紬繹文義，還其本來，苦於無所據依，未敢妄施朱墨，今從須公處，假得吾家無隱先生集注本，讀之，見其斠勘同異，臚引各家，其明稱王弼本作某者，今本轉不然，其稱河上公作某者，今本轉與之合，知今本之確為誤改。其字句雖不必定勝他家，實足以見王弼之舊文。因具錄簡端，他日有暇，當更玩索注文，益以陸氏所釋，異同竄亂之跡，不難盡正。

老子注以河上公及王弼兩家為古，河上公顯為依託，已無可諱。其卷端載葛玄所撰序三首，日人某據之，斷為玄及其孫洪所著，說雖未諦，或不甚差。河上公注之無足取，不在其依託，而在其以神仙鍊丹之說，淆亂附會，世人覩其奇詭可熹，轉得勝行於代。且用以改易王本，亦若河上公本果足為準繩者，不亦異哉！

無隱先生姓范氏，名應元，號谷神子，宋時人。著老子古本集注，道藏未收，前人亦鮮稱引，鑒藏家推為祕本。江安傅沅叔得宋刊本，刻入續古逸叢書，世之學者，乃得求而讀之。其書雖號集注，實乃多下己意，時一稱引成說，以證成之耳。詞意顯露，無玄祕之病，與他道家說不同。世傳老子當以傅奕校本為古，無隱所據古本又與傅奕不同，不知是何本？所引傅本，與畢刻亦或異，當據道藏。則畢刻又有改易，非宋人所見矣，亦賴此以發其覆。

今夏課務既竟，生徒溫書待試，余亦重溫此書一過，因知今刻王弼本之失真，與無隱先生集注本之善，聊識此意於卷端焉。伯子記。

七、集韻考正十卷

方成珪撰。成珪號雪齋，瑞安人。博綜群籍，研精覃思，儲藏數萬卷，皆手自點勘。所著書較乾、嘉諸老，固無遜色，徒以白首校官，名位不顯，身後子姓孤微，遺書零落，多未刊布，姓氏不掛於學人之口。不亦惜哉！所著韓集箋正，精審出沈、陳兩家上，余當別為論定。

此集韻考正十卷，尤其平生精力所寄。孫仲容氏以鄉里後進，景慕尤深，為之校刻於鄂中。其跋略曰：「集韻雖修於宋人，而故書雅記，所載奇字異音，甄採致備，採輯家多據以鉤沈補逸。曹寅刊於揚州，讎校殊略，諸家所校，大都馮據宋槧，稽撰同異。於丁叔雅諸人修定之當否，及所根據之舊籍，未能盡取而覆審之也。雪齋先生既錄段、嚴、汪、陳四家校本，又以經典釋文、方言說文、廣雅諸書，悉心對覈，非徒刊補曹本之譌奪，實能舉景祐修定之誤。」此書之善從可知矣。余以穉露所著南獻遺徵箋十部，從瑞安陳君繩夫處，換得此書，將以之與曹刻集韻相互比勘也。

八、殷墟書契考釋小箋一卷

陳邦懷著。邦懷字保之，丹徒人。殷墟龜甲，本藏福山王懿榮家，懿榮遭拳匪之亂，殉難京邸，龜甲散出，大半歸鐵雲劉氏，因得拓布於世。鐵雲，丹徒人也。今世考甲文者，雖以羅、王為稱首，而丹徒葉君玉森，新得湛深，亦不亞於羅、王。今保之亦丹徒人，甲文之於丹徒可謂有因緣矣。先是上虞羅君既拓布甲文，更為釋文名殷墟書契考釋，略分人名、地名、文字等數篇。大路椎論，未為盡是。海甯王君頗能糾其違失，然亦疏略，有待補正。陳君此作，亦本羅書，而以己意為之疏解，故名小箋，謙詞也。甲文龍鳳字，皆從平，前人皆無所說，陳君引段注「吳語不經見者，謂芉嶽。」雖未必然，終勝無說也。其他糾正羅、王，皆確有依據，尤以所考諸地名為善。如引山海經「視水」「稷山」「休水」，說文宕字下「宕鄉」，鄗字下「沛國縣」諸條，可謂洽當之至；其他舉正不下數十事，大率類此。余至南雍，獲聞易園、仙橋諸師所詔示，乃稍知文字訓詁之道，薰染既久，大知好之，植根淺陋，無以發揮，加性顓蒙，鑽研乏術，十數年間，無毫末之得。地不愛寶，古物時見，正宜穿穴新舊，以光國聞；年過四十，碌碌如故，讀陳君之作，能無媿乎。

九、陶淵明詩箋一卷

丁福保著，福保字仲祜，無錫人。編印書籍甚多，嘗與其弟子輩取舊籍之切用者，加以箋注，名箋注叢書，甚有益於初學，此陶詩一卷，亦此叢書中之一也。余家所藏陶詩，有影印蘇長公寫本、莫氏覆刻宋本，皆無注。陶詩恬澹自然，似無待於注，然其陶鑄經史，淵源深厚；況時越千祀，當時語言習俗，已有不盡瞭然者。故自宋代以來，多有為之作注者，如湯文清、李公煥等；明、清而後，作者尤夥，以陶文毅集注本最有名，而任公撰譜，時有微詞，則尚非盡善也。仲祜頗稱道古直所注，以為最精。余前見直所注黃公度詩，間多疏陋，故於其所注陶詩，不復購置。未審仲祜言果確當否。衡以後出轉精，則仲祜此本，當勝古直。余既藏蘇寫、莫刻兩古本，又有仲祜所惠此箋，研究陶詩，亦粗備矣。

仲祜此箋之善，具見裒可桴序，及其自撰例言，茲不復詳。讀山海經「形夭無千歲」，前人多從曾紘說，改為「刑天舞干戚」；仲祜以為妄改。而「巨猾肆威虐」句，仲祜改「巨猾」為「臣危」，所據者仍為山海經。斥曾氏於前，而仍襲用其法於後，將何以服人，無乃千慮之一失也。

十、漢饒歌釋文箋正一卷

王先謙撰。葵園著述，極為宏富，其學不分漢、宋，兼收並畜，造詣雖不必深，而綜輯群說，時或折衷，有功初學甚偉。此鐃歌一卷，亦集解之類，前人研幾此事者，若吳競、郭茂倩等，略引端緒，未能大昌，亦以本文艱澀，本難理解，時越千歲，聲詞間錯，文字舛譌，稍可明曉者，十之一、二而已。勉為附會，不如其已，而文人好奇，時復加以詞說。若李因篤、陳本禮諸君，必欲求通，每題之下，皆以一事傅合之，可謂勞矣。葵園此作，彙合諸家，又時出新意，極附會之能事。夫古人作詩，自有本事，年代遼闊，失其曲折，而情詞深厚，亦足令讀者感奮，斯可矣，奚必求其事而指實之耶？戰城南，悲戰死耳，乃謂指漢高祖戰敗彭城事；巫山高，悲遠別耳，乃謂指賨民從高帝定秦，不願出關之事；上陵，詠遊仙耳，乃謂諛宣帝之詞；有所思，哀男女之決絕耳，乃謂為武帝擊南粵振凱之歌；又如石留一首，謂為蘇武傷李陵，尤覺牽強可笑。至上邪一首，亦竟無可比合矣。大抵此類樂府古詞，止可解其所可解，其不瞭者，置之可也。

葵園此作，緣其弟禮吾，有志箋正，甫事剬緝，慘就殂謝，悲其已事，不甘湮沒，文用引述，成為斯編。余亦有弟，事同禮吾，遺稿零落，未能董理，緬想葵園，為之慨然！

十一、四庫簡明目錄標注二十卷

仁和邵懿辰撰。懿辰字位西，道光進士，其行誼見曾滌生所撰墓誌。性嗜典籍，聞有珍祕，展轉丐錄，必得而後已。官京師日，日走廠肆，繙閱敂問，案頭置簡明目錄一部，偶有所知，輒記其上，久久竟滿。同時好古之士，多從錄副，世遂知邵氏有此書矣。

咸豐辛酉，粵寇陷杭，位西死兵間，遺書零落，此稿前為項几山借去，得免灰滅。懿辰子子晉官江南，求得原稿，其孫伯絅又彙錄黃（紹基）、周（星詒）、孫（仲容）、繆（筱珊）諸人增訂語，付之剞劂，字大悅目，洵為佳刻，表彰先澤，得其道矣。惜其索價高昂，寒畯之士，徒嗟望洋。吾弟穉露究心目錄之學，知邵氏此書，求之未獲，從李宜秋處知伯絅居京師某衕衕，徑以函詢，往復商價，終以洋六元並媵以通甫類稿一部，乃易得之。寄到時適在除夕，比戶人家皆歡然送歲，弟獨攜燈造郵局、取書，解苞陳几上，反覆詳視，笑不合口。今則遺篋雖在，而宿草久茂，秉筆記此，不知汨之何從也。

先是此書未出，而東南頗有抄本，邵亭撰傳本書目，每有襲取，自伯絅刊布後，乃發其覆。穉露於此亦有增訂，又擬撰四庫存目標注，各成數卷，均未完，惜哉，惜哉！

十二、**秋穗吟館詩鈔六卷．附來雲閣詞鈔文鈔各一卷，共八卷。**

上元金和撰。和字弓叔，別字亞匏，清諸生，長詩古文詞，時藝才氣壯盛，不合程式，用是擯棄終其身。好聲色、狎妓、縱酒；癸丑江甯失守，陷賊中，與賊兵轟飲相爾汝，因此頗探悉賊情，久之，遂與結納，謀內應。諸生張繼庚，其妻從弟也，亦陷賊中，與君合謀。時向榮駐兵城外，君子身脫出，叩向壘，以情告，且以身質，約期響應，官兵不至，再期，又不至。賊遂知備，與謀者盡殲。君以為質，得免。君自是遂以游幕終其身。

世所傳來雲閣詩，為丹陽束氏所刻，非全本。板歸金陵書局，燬於辛亥之變。其子遺還更搜遺佚，益以詞古文，付排印，即此本也。

亞匏之詩，前人未有稱者，前後兩刻序跋，亦少表彰揄揚之語。譚復堂、馮蒿庵皆謂其為振奇人，其詩跌蕩尚氣而已。近人提倡語體，以其詩淺露明白，不復含畜，與語體相近，引為同調，尊之為同光代詩人第一。而舊派嫉之，轉益吹求其疵，不遺餘力。其毀其譽，有不知其然而然者。雖然，他人之評當不及其自知之明。觀其自題之語曰：「不敢居知詩之名，即或結習未忘，偶有所作，要之變宮、變徵絕無家法，大雅之林，非所望也，顧吾友丹陽束季符謂余詩他日必有知者。」又曰：「是卷半同日記，不足言詩，如以詩論，則軍中諸作，語宗痛快，已失古人敦厚之風。申申詈人，大傷雅道，他日齒邁氣平，或以此為少作而悔之，又不但去其泰甚已也。」綜其前後自題之語觀之，則近人毀譽之詞，已盡於此矣。

至其論事、論學，均未足稱。即內應一端，當洪氏初定金陵，聲勢正張，乃欲以千百烏合之眾，空拳揭義，事之成否，實難預期。向榮之不即赴期，亦其持慎之處，而亞匏則大肆醜詆，以為洪軍不固，勢將崩潰，而官兵懦弱不前，坐殲義士，其見亦迂遠矣。

至其原豆一文，以荅為本字，而豆為荅之譌。蓋由荅上〻頭，展轉書於下，則成豆矣。實則尗乃本字，荅為後起，豆乃同音叚借耳。既不明古今聲音轉變之跡，而以隸體穿鑿附會，亦何可笑。此可見亞匏學識之陋矣。

（未完）

宋文丞相傳（61）

宋龔開撰

文宋瑞諱天祥，吉州富田人。初生，祖父夢宋瑞身騰紫雲而上，名曰雲孫；長而字之曰天祥。寶祐乙卯歲大比，以字為名，應舉，得薦，改字履善。明年，禮部奏名，廷對策，有司次在第五；奏讀，擢舉第一。父留旅舍，感疾，及見宋瑞成名而逝。護喪歸廬陵。服除，檢會授承事郎，僉書甯海軍節度判官廳公事。

宋瑞入京，行進士門謝禮，將之任，會鄂渚交兵，吳丞相潛再相，入內都知董宋臣主遷幸，中外洶洶。宋瑞上書，乞斬宋臣以安人心，及團結抽兵，破資格用人數事。不報，還里。景定庚申除鎮南軍節判，主管仙都觀；歷祕書省正字，箸作佐郎，為郎試郡，知瑞州。再除禮部郎官，提點江西刑獄公事，改宋宣城。麾節中外，踐更不常，及往來周行，人猶以清要望之。其權直也，賈似道託疾歸越，乞休致，而實有要君之心。宋端草不允詔，裁以正義。是時王言多先呈稿於權臣而後行。宋瑞逕行，且無所忌避。似道怒，使臺臣論奪職，除湖南運判。俄以提刑知贛州。

甲戌冬十有二月，北軍渡江。乙亥改元德祐。壽和聖福太皇太后垂簾，與幼君同聽政，詔諸道入衛。宋瑞除右文殿修撰、樞密都承旨、江南安撫副使，知贛州。尋兼江西提刑，進集英殿修撰、江西安撫使。夏四月，領兵東下，權兵部侍郎，仍舊職。丁祖母憂，改官承重。既葬，起復總兵，起發吉州。中途進權刑部尚書，領舊職。八月至闕，駐兵西湖，除浙西江東制置使，兼江西安撫大使，知平江府，進端明殿學士，領舊職。出兵援常州，敗績。獨松關危急，趣師入衛；進資政殿學士、浙西江東制置大使，守獨松關。

丙子正月十八日，伯顏丞相駐軍皋亭山。是夕，丞相陳宜中遁去。十九日甲申，早除宋瑞樞密使，午除右丞相兼樞密使，都督諸路軍馬。已而解兵權，詣北軍講解。二十日詔以資政舊職，詣北軍，留營中。明日，宰臣吳堅、賈餘慶率廷紳以國降，勤王兵盡放散。二月八日，北軍遣宋瑞偕祈請使俱北。二十日至鎮江。三十日，宋瑞夜同其客杜滸及廝役共十一人，以舟西走儀真。三月一日入儀真城。後三日，郡守苗再興以閫府令，命給宋瑞出門，以輕兵護出境，聽所之。經維揚，不見內。從者四人亡去。趨高沙，道遇哨馬，殺一人，縛一人去。宋瑞與同行伏廢牆得免。歷七水寨，由泰至通州。所歷諸郡，以閫府命，皆不見內。

遵海而南，至溫州，謁景炎新主。授通議大夫，拜右丞相兼樞密使，都督諸路軍馬。辭，改樞密使同都督，駐軍南劍州。入汀州，移漳州龍巖縣。至福州，進銀青光祿大夫，領舊職，仍經略江西。五月，入贛州會昌縣。六月，戰雩都。乘勢遣兵攻贛、吉，斬汀州偽天子黃從，臨、洪、袁、瑞豪傑，並起應之。興國、黃州新復，號令通江、淮。已而吉、贛兵敗，移軍惠州。至崖山，朝行在所，封信國公，職仍舊。封母齊魏國太夫人。其九月，丁齊魏國太夫人憂。奪情起復。十一月屯潮陽，移屯海豐。二十日，北兵追及，所將兵潰被執。

己卯三月，張元帥遣都鎮撫石嵩管押宋瑞北去，至會同館。赴樞密院見博羅丞相、張平章及諸院官。博羅丞相令譯者問：「德祐爾君，何為棄德祐別立景炎，豈得為忠？」宋瑞曰：「德祐既失國，二王在南中，立以存宗廟社稷，豈不為忠！從懷、愍者非忠，從元帝者為忠；從徽、欽者非忠，從高宗者為忠。」眾皆笑。忽一人曰：「晉元帝、宋高宗皆有來歷，二王何所受命？立不正，豈非篡立？」宋瑞曰：「景炎乃度宗長子，德祐之兄，如何不正？踐位在德祐既去天位，如何是篡？陳丞相奉二王出宮，具稟太皇太后之命，如何是無所受命？」博羅丞相曰：「若將三宮走，爾是忠臣。不走，出城與伯顏丞相一戰決勝負，亦是忠臣！」宋瑞曰：「此說當責之陳丞相，他人何預！」博羅丞相又曰：「既知做不得，如何又做？」宋瑞曰：「譬如父病在膏肓，明知不可為，豈有不進藥之理？不可救，則天也。今日文天祥至此，有死而已，何用多言！」歲在壬午，乃至元十九年也。於是祥興亡且三年矣。

宋瑞囚中作贊並序，曰：「吾身居將相，不能救社稷、安天下。軍敗國亡，辱為俘囚，其當死久矣！被執以來，欲引決而無閒。今天與之機，謹南向再拜以死。其贊曰：『孔曰成仁，孟曰取義；惟其義盡，是以仁至。讀聖賢書，所學何事？而今而後，庶幾無媿！宋丞相文天祥絕筆。」

龔開曰：「僕見青原人鄧木之藏文公手書記年，皆小草，首尾備具。因求得謄本，取其始末為傳，與趙、陸二傳並存。而有感於古之立國者，權臣握重兵在外，必有重臣居中以制之。若國之危殆，則權臣與重臣合而為一，正須聲援相應。此又一時，不可同日而語。宋將亡，兩淮重鎮，居西者無議為，而東鎮又在遠地。文公自江右提烏合之眾入衛，遇戰則北。及獨松失守，一身在朝，擁將相虛名，而遄解兵印，駕單車稱使者不辭。徒曰抒君之急云耳。使事有人，未聞都督軍馬為之而受執者也。五代時李嗣源告莊宗曰：『王彥章敗，段凝未知。縱知，救兵必渡黎陽。數萬眾須舟楫，豈能一日而濟？此去汴不數百里，信宿可到。汴既入，段兵何施？』蓋是時梁朝虛內，重兵盡至外，故唐兵肆行無忌。嗣源以千騎，先鋒至封丘門，扣關而入，梁君臣束手相顧而已。嗚呼！似者尚可取鑒，況身親之。以此知兵力與天時人事，未始不相倚為用也。」

右文丞相傳吾邑龔高士之所撰也。高士少與陸君實同居廣陵幕府，及世已改，家益貧，而志節高峻，儀觀甚偉，文章議論愈高古。所撰趙師旦、陸君實、文宋瑞諸傳，皆桑海之際忠烈士也。

趙傳久佚，今世所傳文、陸二傳，說者謂其紀述甚賅（程曾語），類司馬遷、班固所為，陳壽以下不及也（吳萊語）。惟高士既無專集，詩文散在群書，二傳雖存，亦少有見之者。前如冒氏輯龜城叟集，僅載陸傳，而遺此文，以謂將俟異日求之。今從宋遺民錄中鈔出，聊補冒輯之未備。

世傳文丞相傳凡數種：一、宋史本傳；二、劉申岳撰；三、胡廣撰；四、鄧光薦撰；五、高士所撰。而以高士所撰為最先，亦最簡賅。次則鄧光薦。與高士皆宋遺民。及宋史，皆本丞相手書紀年。互有詳略，而大體無甚參差處。惟光薦廬陵人，與丞相同鄉里，又同見拘遣，聞見為多，故所記亦較詳。宋史官書取資者眾，情實曲折有非高士所及知者。至劉、胡，元、明人，事蹟增益豐備勢自然耳。

茲以宋史本傳，與此文相較。史有請誅呂師孟、議建四鎮、常州之敗、真州之厄等事，皆較此為詳。而由揚微行杭海所經過，則史又甚略。亦若自揚徑南下者，不若此傳所敘詳實矣。又若雩都之捷，贛、吉義士之響應，史皆略不書，無以見文山當時聲勢之盛。同本紀年，而取舍不同若此。

往讀宋史謂「天祥在道不食八日，不死，即復食。」疑文山何故不果死。又謂「天祥願以黃冠歸故鄉，他日以方外備顧問。」後之論者多疑怪之。頃讀指南錄及紀年，乃知「文山至南安軍，即絕粒。為告墓文，遣人馳歸，白之祖禰。乃水盛風駛，五日過廬陵，二日至豐城，所遣人竟不得行。文山不食已八日，自以為死廬陵，不失為首丘。今心事不達，委命荒江，誰知之者？欲從容以就義，遂復飲食如初。」史皆略之。徑謂其復食，不足以昭其志矣。鄧傳云：「公臥病痛苦，時南人仕於朝者，謝昌元、王積翁、程非、青陽、夢炎等十人謀合奏請，以公為黃冠師，冀得自便。青陽、夢炎私語積翁曰：『文公贛州移檄之志，鎮江脫身之心固在也，脫有妄作，我輩何以自解？』遂不果。上遣諭旨，謀授以大任。昌元、積翁等以書諭上意。公復書，數年於茲，一死自分；舉其平生而盡棄之，將焉用？事遂寢。」是黃冠之請，出自降臣擬議，終未果行，非文山本懷。而史家遽以入傳，又以為天祥語，遂貽後人口實，不亦惜哉！高士此傳無此類語，較史簡賅矣。

文山初以奉使被遮留，渡江道中得亡去。展轉真、揚間，疑謗叢積。至通州，事乃白，乃得遵海，赴行在。時真州安撫苗再成（宋史作苗再成，此傳作再興，未知孰是？），揚州制使李庭芝，通州練使楊師亮。史謂「天祥未至時，揚有脫歸兵，言密遣一丞相入真州說降。庭芝信之，以為天祥來說降，使再成亟殺之。」蓋當戎馬倉皇之際，訛言朋興，嚴疆警戒，每不得的訊。加以其時吳堅、賈餘慶、家鉉翁、劉岊等以國降，文山同在使中，孰能知其能獨異？庭芝之疑，亦有不得不然者。否則，庭芝守土不降，終焉死義？豈以私心相仇拒哉！劉傳乃謂「天祥為書李庭芝。庭芝得書，反疑丞相無得脫理，罪真州不當納之，遣官諭再成亟殺天祥以自白。」似庭芝純以虛測妄度，致疑於文山，當非庭芝所宜出。

庭芝先後兩次建閫淮南，高士與陸君實皆在其幕中，人材甚盛，時稱小朝廷。傳中於不納文山事，未詳其委曲。然賢者之過，亦不為之諱。假令當時疑誤不生，兩淮能合，京口、金陵同日大舉，一如再成之計，天下事其尚可為耶？此高士之所以致慨天事人事之相倚也。

淮陰隨伯子謹跋　二十五年三月十三日

壽張須公四十文（38）

耕研

昔莊生偁桑戶、子反、琴張三人，相與於無相與，相為於無相為，此真善於為友者矣。余以樸拙，久畸零於世，而須公、樹滋皆不以為不足道，屈而下交，久而彌親。斯果何所為哉！

須公與余同里，幼而穎異，讀書不再過，出記驚其長老。余在小學，習聞其名，居阻大河，慕而不克見。改國後，余不自量孱弱，馳驅江上，欲有所效，終以智小力茶，見汰於儕輩，更理舊業，就學南雍。乃遇須公金陵莫愁湖上，深眉高顙，目光如電，悚然異之。時須公方治夷吾晏嬰之術，將以理國而阜民。余居金陵一歲，須公學成而去，以故未得徑納交。又三年，來邗上，聞須公亦在，是則大喜。自時厥後，十五、六年間，徘徊揚、楚，出處皆與偕，即有小別，不一、二年，輒復聚，以迄於今。

其居冰甄館及南樓時，談讌之樂尤盛。若武進董伯度、睢甯王繩之、吾鄉姚甘如，皆冰甄館客。顧或死或散，不可復追。南樓諸公，有：儀徵洪北平、平湖胡宛春、六合孫雨渟，而坐無須公、樹滋即不樂。今諸公先後離去，獨余與須公悵悵無所適。樹滋之去最後，猶時時見過，有久要不忘之意。須公、樹滋於余，其亦可謂無相與者歟！

須公之學將以用世，世不之用，退以其學造士，士之出門下者，不可勝計。又以其學著書，書之布於世者累累。而叢積之稿，尚載五車。樹滋不知余固陋，不足望須公，乃謂：「公等澹泊，拙於爭競，宜留心述作，毋令汶汶。」余衰憊，何足傳此言！須公方四十，春秋富，微樹滋言，固將以學顯。況有樹滋督過之哉！

淮陰自枚叔後，以張氏為盛。隋有潭州、宋有柯山、清有力臣，世稱「三張」。然潭州以功蹟著，與他二人不類。今須公學無不包，尤長於史、其盱衡三古，創為「通略」，世固早知之矣。所規為者，則有「秦典」，以謂革固開漢，存一代之制，不亦偉歟！上配柯山、力臣，何多讓焉？世有輯「淮陰三張錄」者，當祧潭州而繼以須公！余茲所述，亦足備其取資，固不僅稱觴之壽而已。

余既撰文，樹滋書之，庶幾莊生所謂無相與之意耳。

范耕研君四十序（39）

須

自叔世好以學者譽人，而真學者遂不可便見矣。盛容服，作氣勢，飾辨說，導浮淫，今之所謂學者，古之所謂游士也。吾嘗相觀乎天下，蓋希不煩於游士之所為。返而求之吾鄉，乃得范君耕研而友事之。嗟乎，吾不既多乎哉。

蓋耕研之治學也，履所尊信，故無勉企。不競於俗，故無別異。自得而未嘗徇人，故無忿諍。制割大理，可不可無依違。諛聞曲義，不膠其心。譏詳小數，去之必遠。辭章之家，所謂掉臂而游行者，庶以方其樂焉。少居於鄉，離經辨志，為根柢之學，以端其本。中適武昌，治兵法、墨經以致其博。終經南雍諸大師遊。通說文古籀音韻部居及古文經傳大義百家之說，以就其精。故耕研之學，旁廣而中深，無涯而有極。須少君一歲，然學無本末，又無師法，牽蠹而多岐，漫羨而無所歸。耕研已優遊成賢之里矣。而須方讀司空城旦書，居各有朋，不可合并，年二十一，鄉人會於莫愁湖之華嚴庵，乃始識之。又三年，教於揚州，乃始定交。中經離亂，而相違者恒少。耕研好致書，工求善本，丹鉛所施，或不可辨識。老莊荀墨品覽之書，所得尤夥，都數十百卷。文章規矩先漢，深厚而雄直。餘事為籀斯書，亦體勢尊穆如其人。須也不幸，闇於大道，猶幸而得摩君之壘，讀君之書，媿汗之餘，得少竊其言以自養。而耕研亦不審以何者重須，每休沐、意行茗飲，未嘗不以偕，眾中俯仰，庸保能識之。揚校故多蘊藉之友，兩鐙眾坐，小辯鵲起，耕研每豎義，正言若反，風韻玄澹，聞者畢𩦺。為庾詞，竄句遊心，思若有神，雖能者不可卒曉。其智周庶類，而退然不見震矜之色。是以藏修者服其高堅，息遊者說其樂易。而須以羸質，有重膇之疾，東南卑濕，不可以居。顧時時欲去，而猶未及去之者，以居遊之有可樂也。

雖然，耕研其勉之哉。楚州學風，盛於道咸，至今日為中衰，典文散絕，日以苟且。耕研席先世之教，門業之舊，比於汪甯泰曄。夫不有倡者，後何以興。耕研學不近名，於富貴真如漂風。而顧勤勤懇懇，無所為而不疲，彼其樂豈不有在乎。是須聞古之人，咸欲以其學易天下，其次施及鄉人，禪於無窮。耕研今歲方四十，被其教者豈無逸才。異時流風所扇，將使鄉之後進，考論術業，悉有據依，以咨慕而歆往，楚學之美，彷彿乎永嘉。耕研之樂，亦鄉邦之休也。須業無所底，而好比次鄉里舊聞，故其壽君也，亦援鄉人之義以為言，世有達者，庶無譏焉。

民國二十二年九月　同里弟張　須煦侯拜序

挽耕研三首

一九六〇年七月二十七日，淮陰范耕研先生以風痺逝於上海，年六十七。先生不慕榮達，授書四十載，不屑與庸俗爭顯晦。天機迅疾，通形聲訓故之學，疏證徧晚周諸子，而問世者十不逮一。解放後，篤嗜唯物哲學。曾一遊皖，遘疾歸，四年弗興，終謝明時。須幸同里閈，啟益實多，追念昔游，賦詩志痛。

春滿堯天一士徂，晚紅空照半床書。放紛楚學君能大，風雨蕪城跡已孤。

儒賤甯羞俗眼白，道隆無奈右肢枯。堪哀篆法同銷歇，難向烽煙覓舊摹。

十載茶寮識姓名，兩家雞黍異公卿。攫金共為儒林惜，買爵紛從捷徑行。

避地仍傳倉雅學，著書何止墨荀精。判教遺蛻成灰燼，可許張倉補墓銘。

赭山都講一年留，東望難迴病客舟。攲枕未甘如夢過，嗜書深費次君求。

吳箋腕澀多疑字，老屋朋來祗注眸。拔地盪胸今已矣，百花正放古神州。

同里　張須待正草

一九六〇年九月　合肥師院

後記

此輯校勘較難，民國八十二年（一九九三）時即已與本叢書之十一《章實齋先生年譜》同時抄錄備印。因係六十餘年前之報紙週刊，其中朽蝕破損之處難決，蒙盧百生及任明藻兩位兄長同心協力補纂而成。其時突獲郁念純大師兄寄來先父手稿《說文部首授讀》暨文化大革命後復得之《周易詁辭》及《莊子詁義全稿》抄本，遂先付印為本叢書之八、九及十。《學林》事遂輟，待重讀，竟覺疑難更多，不敢自決，畏難情緒頓生。終得陳綸緒神父賜助校訂，諒可無缺誤矣！特敬謹拜謝焉！

陳綸緒神父乃天主教耶穌會會士，現任職美國舊金山大學利馬竇中西文化研究所(Racci Institute Chinese-Western Cultural History)教授。學貫中西，滿腹經綸，年逾八十而虛懷若谷。對文中之疑義僅加案語，囑震斷決，但震不學，惟妄斷焉。敬請萬方大德賜正是幸。

特節錄陳神父對先父遺稿之看法：

一、學術之研究，日新月異，出土文物、圖書冊籍、檔案文書，前人所未見、未知者，尤多發現，加以外人之研究，時多創獲，生於今日，學者誠有福哉！耕研先生用心良苦，鑽研苦索，博聞強記，鍥而不舍，為後進開先河，功不可泯，前人典型具在，後學更宜矜式也。

二、蔡元培著《中國倫理學史》，極推俞氏（震案，係指本輯第252頁之俞理初。）男女平等之說。蓋係時勢所然，方其留學德國時，於西方學術耳濡目染，而在中國，新學方興，倡西學者，日有其人。俞氏之說正合時宜，求之舊說中或不易多得，其贊頌俞氏顧意中事也。

三、就學術風氣，自世界第二次大戰後，轉趨濃厚。一則印刷繁興，版式精美，影印者直追原刻，而圖書珍本，前人所未見者亦多刊行。一則出土文物先後發現，研究古代史事，多所引證。海外大學亦設有東方語言文化系，各地研究漢學者不乏其人，歐美各國檔案處所藏有關東方圖書文獻，亦足以補中國歷史所未載。加以西方科學方法，研究所及，更趨謹嚴，而近時電腦之應用，進步更一日千里，前人所未及料者，於今可以見之。然不敢謂今人才力勝於古人，時勢所限所致耳。使古人得生於今世，才力當不弱於今人，其著述當不異於今人也。月來讀先德稿後，隨手檢與稿有關係之近人著述，相與比較，以證弟之所言以為足下參考，於所言當亦同意也。」

誠哉斯言，本輯所載，係六十餘年前之剪報，其時所得之資料與今日之紙張、油墨及印刷等相比，數量、質量相差甚遠。此所謂日新月異、長江後浪推前浪、世上新人換舊人。縱觀自然宇宙，芸芸眾生，即以各類學術莫不如此。此即為舊與新、繼承與發展之必然趨勢。是故雖已過時，尚不失為研究學問者之一助也。

即以鄉土淮邑之清河縣志言，耕研公於《學林》曾有文四篇，其討論中有：「…為魯、吳諸公所未見，吾輩轉得而讀之，何其幸也！」（第85頁〈記嘉靖清河縣志〉）、「…前人生百數十年之前所不得見，而吾人得展玩籀讀，細校其異同，不亦快哉！」（第89、90頁）、「…繙閱再四，校其異同，相與嘆詫。感於舊籍之復顯而物必聚於所好，亦足以傲魯、吳諸公矣。（第92頁〈題抄本康熙壬子清河縣志後〉）。正如陳神父所云：「…前人所未見、未知者，尤多發現。…生於今日，學者誠有福哉。」、「…所未及料者，於今可以見之。」是為異曲同工。亦即今之視昔，猶後之視今。能不發會心之一笑乎！

初曾零星請益於郁念純、芮和師二位師兄及鍾泰德教授。〈玉林國師〉篇並經台中護國清涼寺慧顗法師及北投玉佛寺慧興法師過目。而〈宋文丞相傳〉則煩請沈賢愷教授據明程敏政編撰之《宋遺民錄》校正、標點、分段詳予解說，當無誤矣。謹於此一併深致謝意。惜排版之技術上略有困難，經沈教授費心於有關人與地名旁所標示之方式處理未能標出，特向沈教授表示歉意。

〈十六錢硯齋詩文集〉應非經先父所提出刊登，但為何又於第一〇〇期之〈總目錄〉上以紅色筆標出者，據震臆測，一則對松巢先生之崇敬，一則松巢先生乃先母之伯曾祖，先父於泉生大舅處得見原稿，曾於日記中述及將助泉生大舅刊印之意，故特別標出。震又巧於日前已與同里駱勉先生取得聯繫，正藏有該集，將俟與勉公研商後決定如何剞劂，故本輯不列矣。

二〇〇一年十月江蘇淮陰范　震恭識